Harlequin

ÉDITION SPÉCIALE

Quand un auteur sait créer
un univers aussi bouleversant...
Quand il sait créer des
personnages aussi envoûtants...
il mérite
toute votre attention.

C'est pourquoi Harlequin
vous offre dès aujourd'hui
de partager et savourer
la nouvelle série Harlequin
ÉDITION SPÉCIALE...
les meilleures histoires d'amour...

Des millions de lectrices ont
déjà accueilli avec enthousiasme
ces histoires passionnantes.
Venez découvrir avec elles
la série
ÉDITION SPÉCIALE.

ANNE HENRY

L'été
Cherokee

HARLEQUIN

Cet ouvrage a été publié en langue anglaise
sous le titre :

CHEROKEE SUMMER

© 1984, Anne Henry.
© 1985, traduction française : Edimail S.A.
53, avenue Victor-Hugo, Paris XVIe - Tél. 500.65.00
ISBN 2-280-09055-4

Chapitre 1

Ce jour-là, Clio eut toutes les peines du monde à faire comprendre au fougueux jeune homme qui venait de la reconduire chez elle qu'elle ne partageait pas ses sentiments.

— Merci pour cette charmante soirée, Jeff, dit-elle. Le repas était excellent et le film m'a beaucoup plu.

Avant qu'elle n'ait pu atteindre la poignée intérieure du luxueux cabriolet, il la prit par les épaules et l'attira contre lui sur le siège en cuir fauve.

— Ne partez pas si vite, Clio, implora-t-il, je ne puis supporter l'idée de finir la nuit sans vous.

Ignorant ses baisers pressants dans son cou, elle se raidit et le repoussa fermement.

— Il faut que je rentre, Jeff. Je me lève tôt demain matin.

Sans l'écouter, il se mit à lui caresser la gorge à travers la fine étoffe de sa robe.

— Vous êtes si belle, souffla-t-il d'une voix rauque d'impatience. Vous me rendez fou !

Agacée, elle lui saisit les mains et les ôta vivement de sa poitrine.

— Arrêtez, Jeff. Je dois vraiment rentrer maintenant.

Il l'empêcha une seconde fois de sortir et glissa les doigts sous sa robe.

— Vous êtes injuste, insista-t-il. Cette sortie m'a coûté près de cinquante dollars : je m'attendais à mieux qu'un simple remerciement, surtout de la part d'une femme libérée comme vous.

Clio se dégagea brusquement et fouilla dans son sac. Elle en retira deux billets de banque et les lui tendit.

— Vous apprendrez justement qu'on n'achète pas les faveurs d'une femme digne de ce nom avec un repas et une place de cinéma. Prenez ceci, et nous serons quittes.

Comme Jeff ne bougeait pas, elle lança l'argent sur ses genoux et bondit hors de la voiture. Elle gravit lestement les marches du perron sous le porche éclairé et ne daigna pas se retourner quand elle entendit le vrombissement furieux du moteur du cabriolet et les crissements des pneus comme il faisait demi-tour dans l'allée. Le bruit s'éloigna et se tut bientôt, faisant place au silence nocturne de la rue tranquille bordée d'arbres.

Clio referma la porte à clé derrière elle et éteignit la lumière du porche. Elle resta un instant immobile dans l'entrée, scrutant l'obscurité. Quelle soirée désastreuse, songea-t-elle. Tous les hommes qu'elle rencontrait semblaient avoir la certitude de la séduire aisément, sous prétexte qu'elle était divorcée. Elle était lasse de ce genre de situations.

Au premier abord, Jeff lui avait paru très sympathique. Il était maître assistant en anthropologie et s'était montré fort intéressé par ses progrès dans cette matière.

Elle avait accepté de sortir avec lui parce qu'elle le croyait différent des autres, mais ce soir-là, dès qu'il était venu la chercher dans la boutique de prêt-à-porter où elle travaillait l'après-midi, elle s'était rendu compte de ses intentions. Jeff s'était comporté de façon ridicule, en sous-entendant qu'il lui concédait une grande faveur en l'invitant, et que la meilleure manière de lui prouver sa reconnaissance serait de coucher avec lui. En tant que femme divorcée, elle était censée accueillir avec joie toute occasion de faire l'amour avec un homme, puisqu'elle en était privée.

Clio traversa le hall et ouvrit la porte de la cuisine. Elle ne pouvait nier que la présence d'un compagnon lui manquait parfois cruellement, mais ce n'était pas une raison pour se jeter dans les bras de tous ceux qui lui proposaient une aventure sans lendemain. Le divorce avait été prononcé deux ans plus tôt, et depuis la jeune femme avait attendu en vain de rencontrer quelqu'un susceptible de devenir son ami en même temps que son amant, qui la respecterait autant qu'il l'aimerait. Manifestement, Jeff avait voulu comme tant d'autres brûler les étapes essentielles.

La pendule de l'entrée sonna une heure du matin.

Il fallait que Clio relise ses notes avant d'aller se coucher. Elle devait faire le lendemain un exposé sur l'histoire des relations franco-américaines. Elle décida de se préparer d'abord une tasse de thé.

Comme à l'accoutumée, la cuisine de tante Sarah était impeccablement propre. Clio avait elle-même largement contribué au nettoyage le dimanche précédent, car sa tante était très exigeante en matière de ménage. Cette méticulosité ressemblait parfois à de la maniaquerie, mais la jeune femme en prenait son parti, par reconnaissance pour son oncle et sa tante chez qui elle vivait. Les deux retraités adoraient leur nièce, et avaient été très peinés de son divorce. Tante Sarah s'était même montrée choquée que Clio ait quitté son mari. Pour elle, une épouse avait le devoir de rester toute sa vie auprès de celui qui l'avait choisie, quels que soient ses défauts.

Clayton, l'ex-époux de Clio, s'était vite avéré infidèle et instable, incapable d'assumer ses responsabilités. Il ne parvenait pas à conserver un emploi plus de quelques mois et sans être méchant avec sa femme, il aimait en fréquenter d'autres. Plutôt que d'avoir des enfants d'un mariage aussi malheureux, Clio avait préféré rompre de sa propre initiative, malgré la réprobation de sa tante et de la mère de Clayton. Au risque d'être traitée de romantique ou d'insensée, et même si cela signifiait pour elle la solitude, elle avait refusé de vivre auprès d'un homme qu'elle n'aimait plus.

La jeune femme s'apprêta à faire bouillir de l'eau pour le thé mais elle opta finalement pour un verre de lait. Déjà suffisamment énervée, elle craignait en effet d'avoir du mal à s'endormir. Tante Sarah avait laissé à son intention deux parts de tarte aux pommes dans une jolie assiette en porcelaine au milieu de la table, et elle s'assit pour en déguster un morceau. Le gâteau était délicieux, et Clio songea avec un sourire que si Jeff avait été plus courtois, elle l'aurait sans doute invité à entrer pour partager avec elle ce petit repas impromptu.

Bien en évidence sur un coin du buffet, elle aperçut ensuite son courrier. La première enveloppe venait de la bibliothèque de la faculté ; la seconde portait le tampon de la station-service qui avait effectué récemment une réparation sur sa vieille voiture. Avec son salaire de vendeuse, Clio parvenait tout juste à payer ses études et l'entretien de son auto. Heureusement, son oncle et sa tante lui avaient proposé de revenir vivre chez eux aussitôt après son divorce. Sans cela, elle eût été forcée d'abandonner l'université pour pouvoir s'offrir un logement décent : aux Etats-Unis, les cours en faculté n'étaient pas gratuits, loin de là.

Clio avait passé la plus grande partie de son enfance avec Grace, sa mère, chez son oncle Joe et sa tante Sarah. Tom Marshall, son père, n'était venu les rejoindre que pour de très brèves périodes, car ses divers métiers l'avaient toujours amené à voyager aux quatre coins du monde. Ce n'est qu'à la majorité de sa fille que Grace avait accepté de suivre son mari sur les mers lointaines : ils voguaient actuellement ensemble au large de la Polynésie sur un navire de croisière dont Tom était capitaine.

Désireuse d'obtenir dans les meilleures conditions son diplôme d'histoire américaine, Clio avait accepté de s'installer une nouvelle fois dans la grande maison de Maple Street. Elle remerciait de son mieux Joe et Sarah de leur générosité en s'acquittant des travaux les plus pénibles, tant à l'intérieur que dans le jardin. Ceci, ajouté à son emploi de vendeuse et à ses cours, ne lui laissait guère de temps libre.

La troisième lettre portait l'écriture de la mère de Clayton. Elle la reposa sans l'ouvrir auprès des deux premières. Cela pouvait attendre demain. Tout comme tante Sarah, la mère de Clayton désapprouvait la séparation de Clio et de son fils, et elle s'efforçait depuis deux ans de les réconcilier. En vain : la jeune femme n'avait nullement envie de lire les louanges trompeuses de celui qu'elle ne connaissait que trop bien.

La quatrième et dernière enveloppe provenait du département d'anthropologie et d'archéologie de l'université d'Oklahoma. C'était sans doute une réponse négative à la demande de bourse d'été qu'avait envoyée Clio. Elle ne s'était guère fait d'illusions lorsqu'elle avait postulé : le nombre de demandeurs avait dû être très important. Elle acheva sa part de tarte et but une dernière gorgée de lait en contemplant fixement l'enveloppe encore fermée. Elle semblait contenir plusieurs feuillets : c'était plus qu'il n'en fallait pour signifier un refus...

Et pourtant, ses chances étaient si minces ! La

bourse offrait l'équivalent d'un trimestre d'études pendant tout l'été, avec la possibilité de participer à des recherches archéologiques, tous frais payés, y compris l'aller et retour pour le site. Une somme de 100 dollars par mois était même prévue pour couvrir les dépenses personnelles de l'étudiant.

Clio palpa à nouveau la lettre. Décidément, il y avait au moins deux feuilles à l'intérieur. Se pouvait-il que...

Elle déchira vivement le papier brun et parcourut d'un trait les deux pages dactylographiées.

N'en croyant pas ses yeux, elle lut une seconde fois.

— Hourra ! fit-elle à voix haute. On m'envoie faire des fouilles !

Un magazine fermé sur ses genoux, Clio admirait le paysage toujours changeant par la fenêtre du car. Sans prêter attention au regard plein de convoitise de son voisin, elle se pencha en avant pour ne rien manquer du trajet sinueux du bus sur la route étroite.

Elle repoussa machinalement une mèche de cheveux blonds de son visage et déboutonna la veste de son tailleur en lin bleu marine. Elle avait acheté cet ensemble chic en solde, dans la boutique où elle travaillait, grâce à une réduction supplémentaire qu'on lui consentait ; elle avait tenu à le porter pour embarquer dans l'avion à Omaha, dans l'espoir que cette fois elle ne passerait pas pour une adolescente. Elle savait que malgré ses vingt-six ans, elle n'avait absolument pas l'air d'une femme qui avait été mariée pendant trois ans et divorcée depuis deux.

Dans ce cas précis, elle était forcée d'admettre que son exaltation était purement juvénile : c'était la première fois de sa vie qu'elle partait seule en voyage, pour une destination inconnue. Elle était ravie.

Avec un léger soupir de contentement, elle se carra dans son siège et se mit à tourner distraitement les pages de la revue de mode qu'elle s'était procurée à l'aéroport, mais ses jolis yeux bleu turquoise étaient sans cesse attirés par la fenêtre.

La région était verte et boisée, encore indemne des effets dévastateurs du soleil implacable qui allait briller tout l'été. Clio regardait défiler ces kilomètres de forêts vallonnées où surgissait parfois une ferme au milieu d'une clairière. Cette vision différait totalement de celle que pouvait offrir son Nebraska natal, à la campagne ordonnée et monotone, faite d'immenses champs de maïs ou de blé quadrillés par des routes plates et interminablement droites.

Les villes étaient plus surprenantes encore. Au fur et à mesure que le bus s'éloignait de Tulsa, où l'avion avait atterri, il faisait halte dans tous les villages qui se trouvaient sur son parcours. La plupart de ces agglomérations poussiéreuses et endormies donnaient l'impression d'avoir été oubliées par le progrès. Elles contrastaient énormément avec celles que Clio avait remarquées aux alentours de Tulsa, ville prospère et ultra-moderne qui comptait peut-être davantage de puits de pétrole que d'arbres.

Plus le car avançait dans les contrées montagneu-
ses de l'Oklahoma, et plus les villages devenaient
petits et délabrés ; ils portaient presque toujours des
noms indiens : Coweta, Flèche Brisée, Tullahasee,
Oketa, Chekota… Clio regardait avidement dehors à
chaque bref arrêt, dans l'espoir d'apercevoir des
squaws en costume traditionnel ou de valeureux
guerriers au corps peint — bien qu'elle n'ignorât pas
que les Indiens d'aujourd'hui différassent complètement de ceux des westerns tournés à Hollywood.

La jeune femme ne put réprimer un sourire au
spectacle de deux poulains qui gambadaient dans une
grasse prairie longée par la route, tandis que leurs
mères paissaient sagement non loin de là, à l'ombre
d'un bosquet. Elle était heureuse de partir vers
l'inconnu, de rompre pour la première fois depuis des
mois la routine de la vie laborieuse qu'elle laissait
derrière elle. Durant l'année, les distractions avaient
été rares, et ses quelques flirts, tous semblables à
Jeff, n'avaient rien arrangé.

Elle inspira profondément et décida de ne pas
s'apitoyer davantage sur son propre sort. Après tout,
n'avait-elle pas eu la chance de voir son rêve devenir
réalité ? L'été qui commençait allait lui permettre de
s'avancer considérablement dans ses études, grâce à
un travail concret qu'elle avait toujours désiré
accomplir — et sans débourser un sou.

Clio renonça à lire son magazine et le rangea dans
son sac, lui préférant une carte de l'Oklahoma qu'elle
avait emportée pour suivre le parcours du bus.

Au passage d'un pont étroit qui enjambait une

rivière nommée La Fourche Maline, elle comprit qu'elle était presque arrivée à destination : elle devait se rendre quelque part en amont de ce cours d'eau pour creuser et dévoiler les vestiges d'une civilisation éteinte depuis longtemps.

Prochain arrêt, Seneca. Clio remit la carte dans son sac et jeta un coup d'œil dans son miroir. Elle se brossa rapidement les cheveux et appliqua un peu de brillant rose sur ses lèvres. Elle était fin prête quand le car pénétra dans la ville paisible de Seneca, chef-lieu du comté Cheyenne et terme de son périple.

Seneca ressemblait à tous les chefs-lieux du pays. Sur la place principale se dressaient les édifices administratifs, qui entouraient un jardin public aux ormes centenaires. Des vieillards se reposaient à l'ombre assis sur des bancs de bois, et certains sculptaient en silence de grossières figurines dans des bâtons tendres avec leurs canifs.

Le bus fit halte à quelques centaines de mètres du vieux tribunal, devant une station-service qui faisait également office de salle d'attente pour les passagers. Clio rassembla ses affaires et descendit sur la chaussée poussiéreuse après avoir salué son voisin. Le chaud soleil de l'Oklahoma dardait ses rayons, tandis que le chauffeur sortait le sac de couchage et la valise de la jeune femme de la soute à bagages.

— Etes-vous certaine de ne pas vous être trompée, Miss ? demanda celui-ci. Vous vouliez bien descendre à Seneca ?

— Oui, répondit Clio. On doit venir me chercher. S'ils tardent trop, je prendrai un taxi.

Cette dernière remarque provoqua le rire du chauffeur.

— N'y comptez pas : ici, les taxis n'existent pas, dit-il. Mais s'il y a un problème, vous pouvez passer la nuit dans le motel situé non loin d'ici à la sortie de la ville. Le prochain bus en sens inverse partira demain matin vers 10 heures.

Elle remercia l'homme et regarda le car s'éloigner dans un nuage de poussière. Un chien roux efflanqué, dérangé dans son sommeil par le bruit du moteur, se leva lentement et partit en trottinant sur le trottoir. Seule âme qui vive dans ce quartier, apparemment, mais Clio finit par apercevoir les lunettes et les cheveux gris d'une femme d'âge mûr qui l'épiait derrière la fenêtre de la station-service. Elle ramassa son sac et sa valise, cala tant bien que mal son volumineux sac de couchage sous son bras et traversa la cour semée de gravier de l'établissement. Ainsi chargée, elle marchait très difficilement à cause de ses sandales à hauts talons.

Elle posa ses affaires à l'entrée, sous une pancarte indiquant la vente de Coca-Cola.

L'intérieur de la boutique n'était pas climatisé mais le seul fait de s'abriter du soleil rafraîchit Clio. Elle acheta aussitôt un soda et demanda à la vieille femme si elle pouvait attendre là que l'on vienne la chercher.

La patronne acquiesça d'un air avenant et s'installa dans son rocking-chair.

— Qui attendez-vous, mon petit ? s'enquit celle-ci en s'éventant à l'aide d'un journal plié en quatre.

— Quelqu'un du site archéologique. Je dois me

joindre à l'équipe qui procède à des fouilles tout près d'ici.

— Je vois. C'est à quatre kilomètres au sud de la ville, sur la propriété de Chester Wilson. Ce sont des gens de l'université qui s'en occupent.

— La mission est commencée depuis quelques semaines, reprit Clio. Pourvu qu'ils ne m'aient pas oubliée !

Elle s'approcha de la fenêtre pour observer la rue, toujours déserte.

— Ne vous inquiétez pas, Cookie ne va pas tarder. C'est mon cousin, et en soixante-sept ans d'existence, je ne l'ai jamais vu arriver à l'heure. Ces messieurs de la faculté l'ont engagé comme homme à tout faire.

Sa curiosité apparemment satisfaite, la vieille dame déplia son journal et se mit à lire. Clio s'adossa à une vitrine où sommeillaient quelques bibelots sans valeur et une série d'hameçons. Si personne ne vient, songea-t-elle, je serai quitte pour payer un chauffeur pour m'accompagner là-bas. L'idée d'avoir à dépenser aussi inutilement le peu d'économies qu'elle avait emporté l'agaçait. L'argent de poche qu'on lui verserait chaque mois suffirait sans doute à peine à couvrir ses frais indispensables, et elle aurait aimé garder cette somme pour un cas d'absolue nécessité.

L'arrivée dans l'allée d'une estafette blanche portant le sigle de l'université de l'Oklahoma mit fin à ses inquiétudes. Un vieil homme en bleu de travail en descendit et fit irruption dans la boutique. Il regarda Clio, salua sa cousine et demanda à cette dernière si elle avait vu un jeune homme sortir du car.

— Mademoiselle était la seule passagère, expliqua la femme. Mais je crois que c'est elle que tu cherches.

Elle se tourna vers Clio :

— Voici Cookie, mon petit. Il va vous emmener.

L'homme secoua négativement la tête en dévisageant la jeune inconnue par-dessus ses lunettes. Il tira un papier de sa poche et le consulta.

— On m'a chargé de ramener Clint E. Marshall, de Lincoln, dans le Nebraska, lut-il à voix haute. Pas une demoiselle…

— Il y a une petite erreur, corrigea l'étudiante en souriant. Je m'appelle *Clio* E. Marshall, et c'est bien de moi qu'il s'agit.

L'expression préoccupée de Cookie fit bientôt place à une moue amusée. Les yeux écarquillés, il considéra à nouveau son interlocutrice des pieds à la tête.

— Ça alors, s'exclama-t-il. Le professeur Nicolas va certainement être surpris ! Lui qui attendait un gaillard pour l'aider à creuser…

Clio eut toutes les peines du monde à grimper sur le marchepied de la camionnette à cause de l'étroitesse de sa jupe. Ayant chargé les bagages, Cookie vint lui tendre la main et la hissa sur le siège.

— J'espère que vous avez emporté d'autres vêtements, remarqua-t-il. Et surtout d'autres chaussures. Vous êtes si frêle, et belle comme une poupée ! J'ai hâte de voir la tête du professeur quand il comprendra qui vous êtes.

La jeune femme baissa les yeux vers ses sandales fines qui dévoilaient le vernis à ongles rose de ses pieds délicats. La façon dont elle était habillée ne cadrait en effet absolument pas avec l'endroit. Elle espérait vivement avoir le temps de se changer avant de se présenter au professeur Nicolas et à ses collaborateurs.

Le professeur Paul Nicolas ! Clio se souvint combien ce nom et les titres qui s'y rattachaient avaient suscité son admiration lorsqu'elle avait reçu la lettre d'admission qu'il lui avait envoyée au sujet de la bourse d'été. Il l'avait félicitée et lui avait appris que cette bourse lui permettrait pendant dix semaines de participer à des fouilles archéologiques dans le petit site de la Fourche Maline, cette rivière qui serpentait au sud de l'Oklahoma, dans le comté Cheyenne.

Le professeur Nicolas lui avait ensuite expliqué par écrit qu'à son avis, le site remontait à l'époque lacustre et qu'il avait probablement été occupé par les précédesseurs des Indiens des plaines qui avaient vécu là plus tard. Cela signifiait un retour d'au moins 5 000 ans en arrière. Il avait averti Clio que l'été serait brûlant, fatigant et inconfortable, mais qu'il espérait que des trouvailles intéressantes grâce à l'apprentissage de ses méthodes et de ses théories récompenseraient largement les efforts de son équipe. Il avait terminé par une liste de recommandations et d'équipements nécessaires à la vie « primitive » du site.

La jeune femme avait été tout à la fois surprise et ravie en recevant cette missive. Elle ne croyait pas avoir une chance d'être sélectionnée quand elle avait rendu son mémoire de recherche et que son profes-

seur d'anthropologie lui avait conseillé de présenter
sa candidature. Les mises en garde de tante Sarah à
propos des serpents venimeux, des tornades et des
insolations n'avaient pas réussi à entamer son enthousiasme.

A présent cependant, en voyant la camionnette
s'engager sur une piste de terre battue, de plus en
plus loin du monde civilisé, Clio sentait un léger
doute l'envahir. Elle se souvenait que sa tante l'avait
jugée insensée de quitter un foyer confortable et un
métier stable pour passer l'été au milieu de nulle
part, à déterrer des ossements datant de milliers
d'années.

— Tu ressembles à ton père, avait grondé tante
Sarah en apprenant la nouvelle. Tu rêves trop. Ma
pauvre sœur n'a jamais réussi à raisonner son aventurier de mari.

Et en effet, la première personne à laquelle Clio
avait pensé en lisant la lettre du professeur avait été
son père. Elle savait qu'il l'aurait aussitôt encouragée
à partir.

Dès l'enfance, Clio avait hérité de son père la
passion de l'archéologie. Il lui écrivait des quatre
coins du globe pour lui décrire les sites merveilleux
qu'il visitait. Un jour, il lui apprit avec fierté que son
nom, Clio, était celui de la muse de l'histoire. C'était
pour cela qu'il l'avait choisi. Chaque fois qu'il
revenait chez lui, Tom lui rapportait de superbes
livres illustrés traitant des hommes préhistoriques et
des civilisations anciennes. La plupart de ces ouvra-

ges étaient demeurés à Lincoln, dans la chambre de jeune fille de Clio.

Et puis il y avait eu cet inoubliable voyage à Spiro, dans l'Oklahoma, lorsqu'elle avait dix ans. Car ce n'était pas la première fois aujourd'hui qu'elle pénétrait dans ce haut lieu de l'histoire américaine.

A l'époque la petite fille habitait à Decatur, dans l'Arkansas, où son père était journaliste. Mais Tom se fâcha avec le rédacteur en chef et démissionna pour accepter un poste d'instituteur dans une école rurale du Missouri. Pour se rendre vers son nouveau domicile, la famille avait décidé de faire un crochet dans l'Oklahoma afin de visiter les célèbres Monts Spiro. Clio et ses parents s'installèrent dans une auberge touristique de la ville de Spiro et durant quatre jours, ils parcoururent les environs — où se trouvait d'ailleurs un site de fouilles archéologiques dirigé par l'université de l'Oklahoma.

L'enfant avait été subjuguée par le mystère et le romantisme de ces montagnes. Dans les musées locaux, elle avait découvert les vestiges d'une civilisation qui avait vu le jour bien avant Christophe Colomb et qui s'était éteinte, jusqu'à ce que de savants archéologues aient eu l'idée de creuser ces côteaux arides pour leur arracher leurs trésors.

Elle avait admiré l'élégance et la finesse de l'artisanat de ce peuple ancien, leurs poteries, leurs somptueux bijoux en or et en argent massifs, les armes et les outils d'une précision extrême, objets qui témoignaient tous que les antiques habitants de Spiro avaient atteint un niveau de prospérité et de science bien supérieur à celui des Indiens des plaines qui avaient plus tard pris possession de leur territoire.

Etudiante, Clio ne s'était jamais départie de sa fascination pour la préhistoire. Elle avait dès le début orienté son diplôme d'histoire américaine vers ce domaine. Elle était sur le point d'obtenir sa maîtrise, et elle aurait souhaité poursuivre jusqu'au doctorat si cela avait été possible. Mais elle n'ignorait pas que même au plus haut niveau, il était difficile voire improbable de gagner sa vie dans cette spécialité peu répandue. Elle ne pouvait s'offrir le risque d'étudier encore pendant des années, sans être le moins du monde assurée d'obtenir un emploi à terme. A vingt-six ans, il était temps qu'elle entre dans la vie active et devienne totalement indépendante. Dès qu'elle aurait sa maîtrise, elle chercherait un poste de professeur d'histoire, et le plus tôt serait le mieux.

Clio avait rédigé avec soin son mémoire de recherche pour le cours du professeur Miller. Elle avait choisi pour sujet les Monts Spiro et à partir d'une solide documentation, étayée par ses propres souvenirs, elle avait rendu un travail qu'elle espérait complet.

Le professeur d'archéologie s'était montré conquis. Il l'avait appelée dans son bureau pour la féliciter personnellement, et pour lui suggérer d'envoyer son mémoire au comité de sélection des boursiers de l'université de l'Oklahoma, qui venait de publier une annonce dans ce sens dans un magazine d'archéologie. Les candidats devaient présenter « une recherche originale qui prouvait leurs

connaissances réelles en matière d'histoire américaine et leur désir d'étudier l'archéologie sur le
terrain ».

Les encouragements du professeur Miller avaient
flatté Clio, mais elle ne s'était fait aucune illusion
quant à ses chances de réussite.

Et pourtant, c'était arrivé.

A la plus grande satisfaction du professeur Miller,
mais pas à celle de tout le monde. Le gérant de la
boutique de mode où elle travaillait lui avait clairement signifié que si elle laissait son emploi, elle ne le
retrouverait peut-être pas à la rentrée. Elle avait
également dû endurer les récriminations de son
oncle ; souffrant d'arthrite, il se plaignait de ne pas
être capable d'entretenir le jardin sans l'aide de sa
nièce. Sans parler de la tante Sarah, qui comptait sur
elle pour repeindre la porte d'entrée et le couloir, et
confectionner de nouveaux rideaux pour la cuisine.
Et qui donc allait cirer les planchers ? Et nettoyer les
carreaux ?

— Eh bien, s'était exclamé tante Sarah, tu n'es pas
plus responsable que ton père, et cela te perdra ! Tu
lâches la proie pour l'ombre, comme il l'a toujours
fait.

Son père avait précisément été le seul à approuver
la décision de la jeune femme. La veille de son départ
de Lincoln, elle avait reçu au courrier quelques mots
enthousiastes de lui : « Va de l'avant, cours vers
l'aventure, tu as tout le temps pour t'installer. »

Sa mère, elle-même, dans un bref post-scriptum,

avait admis, comme le dit le proverbe, que « les voyages forment la jeunesse ».

Clio avait donc envoyé une réponse positive au professeur Paul Nicolas, chef du département d'archéologie et d'anthropologie de l'université de l'Oklahoma, pour lui annoncer la date de son arrivée à Seneca.

A présent, il était trop tard pour reculer. En proie à la fatigue et à une appréhension croissante, elle regardait bravement devant elle malgré la fine poussière rouge qui entrait par les vitres ouvertes de la camionnette que Cookie conduisait sans ménagement sur le chemin plein d'ornières. Elle ignorait tout de ce qui l'attendait.

— Est-ce encore loin ? demanda-t-elle en chassant ses cheveux qui volaient en tous sens.

— De l'autre côté de la colline, répondit le vieil homme. Vous avez juste le temps de vous refaire une beauté.

Elle tenta de se recoiffer et essuya son visage avec un mouchoir en papier. La terre rouge de la région s'incrustait partout, portée par le vent chaud.

Cookie tourna dans l'allée d'une petite ferme délabrée, devant laquelle picoraient des poulets. C'était sans doute la maison de Chester Wilson, dont avait parlé la vieille dame de Seneca. Les poules s'enfuirent avec des gloussements furieux quand Cookie arrêta son véhicule derrière une grange en ruine et en descendit pour ouvrir une barrière. Le traitement que Clio venait de subir sur la piste accidentée n'était rien comparé à ce qui suivit :

l'estafette s'engagea alors à flanc de coteau, en plein champ. Des dizaines de vaches cessèrent un moment de paître pour regarder passer l'intrus, tandis que leurs veaux caracolaient d'effroi autour d'elles. Après avoir passé une seconde barrière, la rivière fut en vue. La Fourche Maline. Pourquoi un colon français de l'époque héroïque l'avait-il nommée ainsi ?

Cookie expliqua à la jeune femme que ce cours d'eau était le bras droit de la rivière Poteau, et que d'ordinaire il coulait fort paisiblement ; mais lors de pluies importantes, il débordait parfois de son lit de la façon la plus inattendue. Voilà pourquoi on l'avait baptisé ainsi : il fallait s'en méfier.

Ils longèrent un moment la rivière, laissant les enclos de bétail derrière eux. De son côté, la nature était sauvage et inviolée, mais sur l'autre rive, Clio vit le chantier d'une autoroute en construction qui avançait perpendiculairement à la Fourche Maline. De lourds engins étaient garés en aplomb de la rivière, mais il n'y avait pas d'ouvriers en vue. L'autoroute s'arrêtait brusquement en haut d'une petite falaise qui dominait l'eau, n'attendant semblait-il qu'un pont pour l'enjamber et continuer son trajet de ce côté-ci.

Exactement en face de l'autoroute inachevée Clio reconnut soudain ce qui devait être le camp archéologique. Trois grandes tentes, plusieurs groupes de petites tentes, quelques véhicules ; c'était tout. De surcroît, l'endroit était désert, pour l'instant.

Cookie gara la camionnette près d'une grande tente et se mit à klaxonner.

— Vous êtes arrivée, mon petit. Voici votre résidence d'été, dit-il avec un rire étouffé. Les autres ne vont pas tarder à arriver. Et quelle ne va pas être leur surprise !

Elle aurait préféré qu'il n'insistât pas davantage sur ce point. Elle était suffisamment anxieuse d'avoir à rencontrer des gens totalement inconnus, dans un lieu aussi ingrat. Elle accepta l'aide du chauffeur pour descendre du haut marchepied et contempla le camp d'un air désolé. Le professeur l'avait avertie qu'elle aurait à vivre dans une tente. Que s'était-elle imaginé, après tout ? se demanda-t-elle, furieuse de sa propre déception.

Soudain les sages mises en garde de son oncle et de sa tante revenaient à son esprit. Elle se jugeait bien insensée, à la vérité, dans son tailleur en lin et ses talons hauts. En total désaccord avec l'environnement. Quelle bêtise !

Chapitre 2

Surgissant de derrière plusieurs hauts monticules de terre fraîchement retournée, près de la rivière, Clio aperçut soudain un groupe composé de dix hommes et d'une femme. Ils portaient tous des shorts, et la plupart des hommes étaient torse nu. La femme, quant à elle, avait en outre ce qui semblait être le haut d'un maillot de bain. Ces vêtements réduits à leur plus simple expression révélaient des corps déjà bronzés par des semaines de travail au soleil. En les voyant, Clio fut gênée d'être si pâle et si bien habillée.

Un homme grand, ténébreux, menait la marche. De toute évidence, c'était lui qui dirigeait les opérations. Pourtant, avec son large front, ses pommettes saillantes, ses yeux sombres et son épaisse chevelure d'un noir de jais, il portait sur son visage les traits nobles et aisément reconnaissables d'ancêtres amérindiens. Pourquoi avait-il alors un nom si typiquement français : Nicolas ?

A mesure qu'il avançait, Clio distinguait sous sa

peau nue sa puissante musculature. Il marchait d'un pas souple et assuré, et fixait Cookie d'un air peu engageant. Clio fit quelques pas à sa rencontre.

— Professeur Nicolas ?

— C'est moi. Qui êtes-vous ? Nous ne sommes pas en mesure de recevoir des visiteurs, Miss.

Il était visiblement furieux que Cookie lui ait amené quelqu'un comme Clio pour interrompre son travail.

— Je suis Clio Marshall, dit la jeune femme en tendant la main.

La moue féroce du professeur s'aggrava encore. Devant cette figure de guerrier tout droit sorti d'un western, elle recula d'un pas malgré elle et retira sa main offerte.

— Mais vous êtes une femme ! fit-il avec colère.

— Je n'ai jamais prétendu le contraire. Où est la différence ?

— Elle est énorme, reprit le professeur. Tout d'abord, j'aurais pris davantage de renseignements à votre sujet si je m'étais douté un instant que Clint Marshall était une femme, et de si faible gabarit, pour tout arranger.

— Je m'appelle *Clio* Marshall. C'est une erreur administrative, sans doute. Qu'aimeriez-vous savoir d'autre ? répliqua la jeune femme dont l'irritation montait aussi.

— Par exemple, je me serais assuré que vous avez déjà campé. Mais à présent que je vous vois, la question est superflue. Vous n'avez manifestement jamais passé une nuit dehors. Avec les garçons, au moins, on a moins de surprises de ce côté là, et on peut au moins être certain que si cela ne leur est jamais arrivé, ils seront capables de le faire durant tout un été brûlant dans des conditions de travail extrêmement pénibles. En général, ils sont à peu près tous capables de soulever un seau plein de terre. Mais vous, je mettrais ma main au feu que vous n'avez même jamais participé à un projet archéologique, pas plus qu'à des travaux de musée.

Les joues de Clio s'empourprèrent.

— Non, en effet, répondit-elle. J'ai tout à apprendre, et c'est pour cela que je suis venue. L'avis de bourse ne mentionnait pas qu'une expérience préalable était exigée.

— Ce n'est pas le cas, mais à en juger par le mémoire que vous avez rendu, j'en ai conclu que vous aviez travaillé sur les vestiges de Spiro. Votre essai était fort bien documenté et comportait de nombreuses observations de terrain. Où avez-vous trouvé tous ces détails ? Vous étiez censée rendre une recherche personnelle.

— Je vous assure que tout ce que j'ai écrit venait de moi seule, protesta Clio. Et vous ne vous êtes pas trompé sur un détail au moins : je suis en effet allée à Spiro, mais à titre individuel. Et permettez-moi de vous dire que vous n'avez pas le droit de m'exclure de votre projet à cause de mon sexe et de mon manque d'expérience. Si tels étaient vos critères, ils auraient dû figurer en toutes lettres sur l'avis d'inscription !

Le professeur Nicolas la foudroya du regard. De

toute évidence, il n'était pas homme à se laisser aisément contredire.

Clio se prit à souhaiter être aussi sûre d'elle qu'elle essayait d'en avoir l'air. En fait, il avait entièrement raison. La perspective de vivre pendant de longues semaines en pleine nature, sans électricité, sans eau courante ni air conditionné l'affolait complètement. Pourquoi n'y avait-elle pas réfléchi plus tôt, quand il était encore temps, à Lincoln ?

D'après l'aspect de l'équipe qui lui faisait face, ces fouilles n'avaient rien d'un travail prestigieux, tel qu'elle l'avait rêvé. Ils étaient tous très sales et tannés par le soleil, bien que la seule femme parmi eux parvînt encore à rester belle malgré la poussière qui maculait ses bras et ses jambes. Son short et le soutien-gorge largement échancré de son maillot de bain ne dissimulaient pas beaucoup son corps harmonieux et musclé. Un bronzage intense, rehaussait son teint mat et ses cheveux noirs tirés en arrière en une épaisse queue de cheval révélaient un front haut et des yeux sombres typiquement latins.

La femme renvoya à Clio son regard évaluateur et vint se placer à côté du professeur Nicolas, posant une main possessive sur son bras.

— Paul veut simplement dire que la vie ici est extrêmement éprouvante pour les novices, expliquat-elle, d'une voix doucereuse où perçait un léger accent espagnol. J'ignore l'idée que vous vous étiez forgée d'une fouille archéologique, mais vos talons hauts et votre tailleur sont déplacés ici.

Maudites chaussures, gémit intérieurement Clio. Si seulement je m'étais changée à Seneca !

— Désolée de vous choquer à cause de ma tenue, rétorqua-t-elle, mais je viens directement de l'aéroport de Tulsa. Je ne pouvais pas décemment prendre l'avion en short effrangé et en bikini.

Le sourire de la femme se glaça sur son visage, et elle regarda le professeur d'un air excédé.

Clio ne s'était jamais sentie aussi indésirable. Elle était prête à fondre en larmes. Seule sa fierté de ne pas pleurer devant cet homme antipathique la retint. Il aurait été trop heureux qu'elle lui apporte elle-même la preuve de sa faiblesse et de sa vulnérabilité. Elle ne passait déjà que trop pour une fille sotte et incompétente à ses yeux — et à vrai dire, c'était exactement ainsi qu'elle se voyait à ce moment précis...

Allait-elle demander à Cookie de la raccompagner en ville, et dormir à l'hôtel jusqu'au passage du car le lendemain ? Elle entendait déjà le « je te l'avais bien dit » que sa tante ne manquerait pas de lui assener en la voyant revenir.

Non. Il fallait résister, coûte que coûte. Et cela pas tant pour donner tort aux prédictions pessimistes de tante Sarah que pour confirmer celles de l'homme arrogant qui la toisait du regard. Elle ne voulait pas lui offrir la satisfaction de la voir capituler et s'enfuir.

Même si elle admettait en son for intérieur qu'elle s'était surestimée en acceptant cette bourse sans réfléchir, elle décida qu'il n'était plus temps de changer d'avis et qu'il fallait en prendre son parti. Du reste, les autres membres de l'équipe ne devaient pas tous ressembler au professeur, et il s'en trouverait sans doute de plus chaleureux que lui.

Rassemblant le peu d'énergie qui lui restait, Clio attrapa ses valises et son sac de couchage dans la camionnette. Même ses bagages bleu pâle semblaient ridicules dans cet endroit sauvage et primitif.

— Si vous voulez bien me montrer ma tente, j'ôterai ces vêtements tant décriés et je m'habillerai d'une façon plus acceptable selon vos critères, annonça-t-elle.

Dans l'air brûlant où le soleil dardait ses rayons, on entendait une radio brailler une rengaine à la mode. Le son provenait apparemment de la cuisine à ciel ouvert. Une vache meugla dans le lointain. La sueur commençait à couler à grosses gouttes dans le col de Clio. Cependant, le professeur Nicolas ne répondait rien. Au fil des secondes les valises de la jeune femme devenaient de plus en plus lourdes mais elle restait droite, la tête haute, en attendant sa décision. Les autres membres assistaient à la scène, également silencieux, et Clio songea combien la lutte devait leur sembler disproportionnée entre cette jeune et frêle inconnue en costume de ville et ce puissant guerrier à demi nu qui l'écrasait de sa haute stature.

Finalement, le professeur Nicolas haussa légèrement les épaules et tourna vivement les talons. Il se dirigea à grandes enjambées vers l'une des grandes tentes dont les côtés relevés dévoilaient des tables couvertes de débris de poteries.

La femme aux cheveux noirs lança un sourire éclatant à l'adresse de Clio.

— Eh bien, il semble que vous allez rester, dit-elle en lui tendant sa main fine. Je suis le professeur De Silvestro, Yvonne. J'ai ici autorité après Paul. Bienvenue sur notre petit site.

Elle se tourna vers un jeune homme blond.

— Dennis, lui dit-elle, tu t'installeras avec Carl et tu donneras ta tente à Clio. Remontez-la près de la mienne, elle y sera plus tranquille.

Après avoir donné ses instructions, Yvonne De Silvestro s'en alla rejoindre le professeur Nicolas dans la grande tente ouverte.

Le jeune homme s'approcha alors de Clio et lui prit ses valises, à son grand soulagement.

— Dennis Compton pour vous servir, fit-il en s'inclinant malicieusement. Donnez-nous quelques minutes, s'il vous plaît. C'est avec le plus grand plaisir que nous déplacerons ma tente pour le premier être humain qui ait jamais osé s'opposer à Paul Nicolas.

Les autres étudiants l'approuvèrent d'un large sourire et se présentèrent également : Sam Shaw et Wolf Birdsong étaient des élèves du professeur et devaient passer l'été là ; il y en avait trois autres, de passage, qui devaient bientôt repartir, et enfin trois étudiants péruviens venus accompagner le professeur De Silvestro pour participer aux fouilles. Juan et Miguel parlaient apparemment très mal l'anglais. Edgar, quant à lui, avec sa mince silhouette et son franc sourire amical, le parlait de façon hésitante mais très compréhensible.

La gentillesse des garçons qui allaient être ses associés durant l'été encouragea Clio et l'aida à oublier l'accueil glacial de Paul Nicolas.

Elle s'adossa à la camionnette et les regarda démonter une des tentes. Ils transportèrent son sol fait de lattes de bois à l'autre bout du campement, dans un petit bosquet d'arbustes, où siégeait une tente à l'écart des autres. Les piquets et la toile furent rapidement érigés sur leur plancher, et bientôt Clio fut invitée à pénétrer dans sa nouvelle demeure.

Dennis lui montra, à proximité de là, des toilettes et une douche séparées réservées aux femmes.

— Outre le professeur De Silvestro, nous attendons des étudiantes de passage qui viendront nous aider occasionnellement, expliqua-t-il. Mais il y a peu de chances qu'elles soient aussi séduisantes que vous, ajouta-t-il d'un ton flatteur, en posant effrontément la main au creux des reins de la jeune femme.

Clio esquiva sa caresse et se dirigea vers Sam, un garçon petit et gros dont le nez brûlé par le soleil était tout enduit de crème. Il lui apportait des cintres et lui indiqua la façon de les suspendre à la traverse faîtière de la tente.

Après avoir appris à Clio qu'il descendait d'une tribu comanche, Wolf, aide de Dennis, apporta les « meubles » : un lit de camp passablement usagé et deux casiers orange pour le rangement. La jeune femme les remercia et ils sortirent tous les trois ensemble en poussant un cri de guerre et en se ruant vers la rivière où le reste de l'équipe se trouvait déjà, pour le bain de l'après-midi.

Malgré la simplicité des installations, Clio s'accommoda de bonne grâce à l'esprit de pionnier. Elle défit ses valises, suspendit ses chemisiers sur les cintres et les repoussa vers le fond de la tente. Ses shorts et ses jeans soigneusement pliés trouvèrent leur place dans l'un des casiers orange, qui comportait une étagère.

Elle interrompit son aménagement le temps de changer son tailleur pour un short noir et un tee-shirt rose pâle. Elle plaça des vêtements de voyage et quelques autres dont elle n'aurait vraisemblablement pas besoin ici dans l'une de ses valises vides qu'elle glissa sous le lit.

Le second casier, posé près du lit, ferait office de table de chevet. Elle y disposa son réveil, sa radio et une petite photographie encadrée de ses parents. Sur l'étagère inférieure, elle rangea ses produits de beauté et ses affaires de toilette. Tout en bas du casier elle fit une pile avec quelques magazines et livres qu'elle avait emportés. Elle mit ensuite ses chaussures en ligne sous le lit.

Avec les draps bleu pâle qu'elle avait eu le soin de mettre dans sa valise, elle installa son sac de couchage sur le lit de camp. Comme touche finale, elle étala fièrement une petite carpette en tissage sur le plancher. Le résultat d'ensemble n'était pas déplaisant.

— Me voici chez moi, dit-elle à voix haute.

Elle songea distraitement à demander à Cookie de lui acheter un peu de peinture pour ces affreux casiers orange. Un bleu clair serait parfait, pour aller avec les draps...

Après un dernier coup d'œil dans son accueillant logis, Clio se rendit à la rivière pour assister aux ébats des huit garçons qui nageaient et s'éclaboussaient dans l'eau. De la petite plage de sable, on ne voyait pas l'impressionnant chantier de l'autoroute qui surplombait l'autre rive.

L'arrivée de Clio ne passa pas inaperçue parmi les baigneurs. Son short et son tee-shirt en maille de coton ajouré révélaient ses formes gracieuses bien davantage que le tailleur en lin qu'elle portait un peu plus tôt. Elle avait enfilé des sandales blanches — sans talons, cette fois — qui laissaient voir ses pieds délicats aux ongles vernis de rose.

Après avoir brossé ses cheveux pour en chasser la poussière, elle les avait laissé retomber en cascade sur ses épaules. Ils brillaient à présent au soleil. La petite chaîne en or qui entourait son cou scintillait sur sa peau fine et pâle.

Les garçons l'appelèrent dès qu'ils la virent et l'invitèrent à venir se joindre à eux, mais elle refusa d'un signe de tête. Bien qu'elle fût beaucoup plus à l'aise maintenant, elle préférait s'asseoir sur un rocher et les regarder. Une brise tiède agitait les feuilles des saules et des peupliers qui ombrageaient l'eau claire, soulevant gentiment les mèches blondes de Clio.

Le décor qui l'entourait était absolument superbe, avec ses falaises sauvages dominant une rivière limpide aux rives d'une fraîcheur providentielle. Un oiseau moqueur perché sur une branche au-dessus d'elle se gargarisait de notes parfois mélodieuses et parfois discordantes.

Clio ôta ses sandales et trempa ses orteils dans l'eau cristalline. L'endroit était trop beau pour se gâcher le séjour à cause d'un homme désagréable, décida-t-elle. Il fallait profiter au maximum de cet été pour s'enrichir et apprendre tout ce qu'elle pourrait.

Soudain, Paul Nicolas en personne, accompagné d'Yvonne De Silvestro, apparut au sommet de la pente qui menait au bord de l'eau. Les deux professeurs descendirent sans regarder dans la direction où se trouvait Clio. Yvonne s'arrêta sur la berge pour ôter ses tennis et son short. Elle portait en dessous le bas de son bikini noir. Elle monta ensuite sur un rocher en surplomb et regarda Paul Nicolas en souriant.

Clio avait l'impression que les garçons détaillaient Yvonne à la dérobée, sans cesser leurs jeux. Pour sa part, Paul Nicolas la contemplait d'un air franchement admiratif tandis qu'elle s'élançait gracieusement en plongeant dans l'eau claire et fraîche.

Paul monta à son tour sur le rocher et resta un instant en équilibre sur la pointe des pieds, bandant les muscles de ses cuisses, avant de plonger à son tour. Yvonne l'attendait au centre de cette piscine naturelle ; quand il fit surface, il se dirigea d'un crawl calme et puissant vers son amie qui lança à Clio un regard triomphant et défiant tout à la fois. Le message était évident : Paul lui appartenait.

Clio apprit au dîner que le professeur De Silvestro

était considéré comme un expert en civilisation inca. Paul Nicolas avait travaillé dans des grottes archéologiques avec elle l'été précédent, près du lac Titicaca au Pérou. Elle lui rendait son aide à titre de conseillère sur le présent projet. Dennis raconta à Clio que les deux professeurs s'étaient rencontrés en préparant leur thèse à l'université d'Oxford en Angleterre. A son avis, Nicolas était le professeur le plus exigeant mais aussi le meilleur qui existât. Sam et Wolf étaient d'accord sur ce point.

En observant ce grand et bel Indien, avec à ses côtés la superbe latine aux traits de statue, Clio ne pouvait s'empêcher d'admirer la perfection du couple qu'ils formaient.

Après le bain, Paul avait revêtu un jean et un gilet de daim sans manches qu'il portait à même la peau. Ses cheveux raides et noirs, plus longs qu'il n'est d'usage, étaient maintenus par un bandeau au tressage compliqué. Il avait au doigt une énorme bague en turquoise, et autour de son cou pendait encore une magnifique turquoise éclatante attachée à une chaîne en argent. Il ressemblait si peu aux hommes que Clio avait déjà rencontrés qu'elle ne put détacher ses yeux de lui pendant toute la soirée. Il exerçait par son seul attrait physique une sorte de fascination à la fois inquiétante et stimulante, et tous les membres de l'équipe semblaient chercher à capter son attention. Yvonne siégeait à sa droite, fière comme une reine, et lui touchait souvent le bras.

A la fin du repas, Paul parla des dernières découvertes de la journée et annonça le plan de travail du lendemain. Soudain il se tourna vers Clio.

— Quant à vous, Miss Marshall, vous allez travailler avec moi. J'espère pouvoir vous inculquer quelques principes élémentaires de la méthode archéologique. J'aimerais me convaincre que votre présence ici ne sera pas complètement inutile.

Malgré l'humiliation causée par ses propos, Clio garda la tête haute et soutint son regard.

Pendant un instant, il sembla se perdre dans ses yeux bleus, tout en portant machinalement la main à la pierre qui ornait sa chaîne. Il congédia soudain les autres et demanda à Clio de rester.

Les ombres projetées par la lampe à gaz accentuaient ses hautes pommettes et sa puissante mâchoire carrée. Il avait l'air dur et intraitable. Cependant, il parla d'une voix presque douce.

— J'espère que je n'ai pas été trop sévère avec vous cet après-midi. Je ne puis vous cacher combien je suis déçu d'avoir à inclure dans mon équipe une jeune femme fragile et inexpérimentée telle que vous. Mais c'est entièrement de ma faute : je ne m'occupe pas assez sérieusement des attributions de bourses. Si vous êtes décidée à rester, nous ferions mieux d'en prendre tous deux notre parti.

Pour conclure il tendit sa main à Clio en signe de réconciliation. Au contact de cette main rude et puissante, la jeune femme tressaillit malgré elle. Elle retira vivement la sienne et courut rejoindre les autres qui s'apprêtaient à construire un feu de camp.

Paul regarda sa frêle silhouette se mêler à celles

des garçons dont les ombres se profilaient à la lueur des flammes. Ils l'entourèrent immédiatement de toutes leurs attentions, charmés par l'apparition au sein de leur groupe de cette ravissante blonde.

On dirait des abeilles attirées par du miel, songea Paul avec rage. Cette femme va perturber toute mon équipe, c'est inévitable.

D'ordinaire, il était plutôt partisan d'accueillir des étudiantes dans ses fouilles. Elle s'avéraient souvent plus tenaces et plus efficaces que bien des hommes dans leurs recherches. Mais Clio Marshall ne ressemblait pas à ce genre de femmes. Elle était trop pâle et trop délicate pour s'adapter au rude travail manuel préliminaire à toute découverte archéologique. Elle était trop belle, en un mot, avec ses yeux couleur de turquoise indienne, et ses cheveux si blonds. C'étaient eux qu'il avait remarqués d'abord. Pendant un quart de seconde, il avait failli la confondre avec Claudia, lorsqu'il l'avait aperçue à côté de Cookie. Justement à cause de ses cheveux. Quelle chose insensée ! Claudia vivait à New York. Elle avait passé en tout et pour tout une journée sur un chantier de fouilles, et Paul était certain qu'elle n'y avait jamais remis les pieds depuis lors. Cela remontait déjà à longtemps, à l'époque où il travaillait à l'université de Columbia. Et dire que la seule apparition d'une femme du même type physique avait suffi pour raviver ses souvenirs !

Paul éteignit la lampe à gaz et s'assit à une table dans l'obscurité de la tente. Il rejoindrait les autres plus tard, décida-t-il en se versant un verre de thé glacé que Cookie avait laissé sur la table.

Il observait distraitement les jeunes gens dans la lumière dansante du feu de camp. Que lui arrivait-il ? Pourquoi le fait de penser à Claudia le rendait-il si sombre ? Etait-ce parce qu'elle symbolisait pour lui la perte d'une illusion, d'une innoncence de sa jeunesse ? Pourtant, depuis qu'elle l'avait quitté, il ne l'aimait plus. Il aimait Yvonne à présent, qui lui convenait cent fois mieux. Il avait eu la chance inouïe de rencontrer cette archéologue péruvienne si brillante, si intelligente : elle comprenait et partageait entièrement sa passion pour l'archéologie. Elle était aussi fière de ses ancêtres incas qu'il l'était lui-même du sang cherokee qui coulait dans ses veines. Oui, Yvonne et lui étaient en parfaite harmonie. Tout le contraire de ce qu'il avait vécu avec Claudia. Il frémit à l'idée qu'il avait presque failli l'épouser. Jusqu'au jour où il comprit qu'elle collectionnait les hommes comme des bibelots rares. Cette enfant gâtée d'un riche industriel avait finalement choisi de se marier avec quelqu'un de son monde. Paul se demanda si elle était restée avec ce mari élégant et insipide ou si elle s'en était lassée aussi vite que des autres.

Dire qu'elle lui avait appartenu, pour quelques brefs instants ! Soudain, une vision passionnée, blonde et riante, envahit son corps et son âme. Quelle époque inoubliable ! Ils s'étaient aimés éperdument. Dès ce moment-là, Paul avait compris que leur aventure ne durerait pas. Pourtant, il ne s'était jamais senti vivre plus pleinement.

Elle l'avait cruellement blessé en le quittant, mais elle lui avait beaucoup appris, appris à devenir cynique et méfiant. Oh combien méfiant ! Depuis ce temps-là, il n'avait plus jamais vraiment ri. Et il doutait de connaître à nouveau le bonheur un jour. En soupirant, il fit un effort pour chasser de son esprit les visions du passé et revint au problème qui se posait à lui : une nouvelle petite blonde, nommée Clio. De toute évidence la froideur de la réception qu'il lui avait réservée était due en grande partie à sa ressemblance avec Claudia. Mais ceci mis à part, il y avait mille autres raisons pour que sa présence soit une gêne.

Il avait rencontré beaucoup de filles comme elle. Un jour, elles s'éprenaient d'archéologie après avoir vu un beau film de fiction et décidaient de participer à un chantier. Dès qu'elles se trouvaient confrontées à la dure réalité des fouilles, au manque de confort, à la promiscuité et aux araignées qui rôdaient partout, elles se décourageaient invariablement. Elles n'allaient jamais plus loin que le bureau du professeur et en ressortaient aussitôt, trop heureuses d'avoir échappé à de tels périls.

Malheureusement, Paul n'avait pas eu l'occasion de s'entretenir de vive voix avec Clio Marshall avant qu'elle ne pose sa candidature. S'il avait pu se douter en recevant son devoir qu'il s'agissait d'une femme, il aurait pour le moins cherché à la rencontrer au préalable, pour s'assurer qu'elle était capable de passer tout un été dans des conditions aussi dures. Il se serait alors vite rendu compte qu'il n'en était rien, et aurait refusé cette étudiante trop inexpérimentée pour faire partie de son équipe.

Clio fut réveillée le lendemain matin par quelqu'un qui la secouait par le bras. Elle ouvrit ses paupières lourdes de sommeil pour voir le visage d'Yvonne De Silvestro penché sur son lit. Le soleil brillait déjà et elle dut se protéger les yeux avec la main.

— Ici on ne sert pas le petit déjeuner au lit, dit Yvonne avec ironie. Si vous avez l'intention de manger, vous feriez bien de vous dépêcher. Les autres ont déjà commencé.

Clio fit un effort pour s'asseoir et posa les pieds sur le plancher de lattes. Yvonne la fixait à travers ses cils noirs, les bras croisés. Elle semblait évaluer la minceur des jambes et des hanches de la jeune femme. Puis, elle détailla ouvertement la masse blonde de sa chevelure, sa peau blanche et ses yeux bleu turquoise. Clio se retint de se précipiter sur son peignoir pour soustraire son corps à peine dissimulé par une petite chemise de nuit, au regard inquisiteur de cette maîtresse femme. Elle la remercia de l'avoir réveillée et attendit qu'elle fût sortie pour rassembler ses affaires de toilette et sa serviette.

La douche n'était pas une mince affaire. Quelques planches de bois clouées ensemble, un seau d'eau et une ficelle, c'était tout. Elle se savonna et s'aspergea à la hâte d'eau glacée, avec pour seul témoin un geai bleu électrique qui, perché au sommet d'un arbuste voisin, ne se privait pas de commentaires.

Elle regagna sa tente et enfila en vitesse un short beige et un bustier jaune. Après avoir peigné ses cheveux trempés, elle les serra en chignon sur sa nuque, et rejoignit la tente — salle à manger au pas de course.

Cookie lui apporta un copieux déjeuner à base d'œufs et de toasts, agrémentés d'un clin d'œil amical et d'un joyeux « bonjour ». Déjà, certains membres de l'équipe s'étaient levés de table et partaient à travers champs vers la colline. Clio avala quelques gorgées de café, quelques bouchées d'œuf et mangea ses toasts en revenant vers sa tente pour prendre un chapeau à bords larges et de la crème solaire.

Elle rencontra Paul comme il atteignait le plus large des cinq remblais.

— Vous commencez de bonne heure, lui dit-elle. Demain je mettrai mon réveil à sonner.

— Nous essayons de démarrer les fouilles vers sept heures pour pouvoir nous arrêter pendant la grosse chaleur, au milieu de l'après-midi. Je constate que vous avez eu la bonne idée de vous munir d'un chapeau et d'un écran solaire, avec la peau que vous avez...

— Professeur Nicolas, j'ai vingt-six ans, et je ne suis plus une enfant. Je sais ce qu'est un coup de soleil. Je sais également que j'ai la peau fragile. D'ailleurs, nous avons aussi du soleil dans le Nebraska, vous savez.

— Ce n'est pas le même qu'ici, Miss Marshall. Mais je tâcherai à l'avenir de me souvenir de votre âge respectable et de vous traiter avec le respect qui vous est dû.

En s'efforçant de garder son calme, Clio suivit Paul

qui lui fit faire le tour du site et lui montra le travail
déjà accompli depuis deux semaines. L'endroit était
jalonné de tiges de métal et de cordes tendues qui
servaient à repérer précisément l'emplacement des
tranchées.

Jusqu'à présent, les chercheurs s'étaient concen-
trés presque exclusivement sur le plus large des
monticules de terre et sur un autre plus petit tout au
bord de la rivière. Des sillons superficiels avaient été
tracés pour repérer la zone à creuser. D'autres
partaient du centre du site et rayonnaient à distance
égale vers le périmètre.

Sam et Miguel ouvraient une nouvelle tranchée à
l'aide de pics. Yvonne et Edgar travaillaient avec des
truelles dans la tranchée la plus profonde. Ils dispo-
saient de matériel de fouille très précis.

Paul expliqua que l'on commençait toujours à
creuser avec des pics et des pelles, puis avec de plus
petites pioches et des truelles, et finalement avec des
pinceaux et même des cuillères, pour ôter la terre de
chaque objet, avant de le photographier et de le
répertorier tant qu'il était encore en place. Il était en
effet très important, selon Paul, de savoir par la suite
si telle poterie ou telle arme ou tel outil venait d'un
lieu d'habitation ou d'un ossuaire. Il fallait aussi
noter quels autres objets ou parties de squelettes
avaient été trouvés à proximité.

— Le classement des données est une partie
essentielles de l'archéologie, expliqua-t-il. De nombreuses découvertes seraient restées vaines si des

chercheurs n'avaient su présisément où et dans quel
contexte elles avaient été faites.

Cette fouille ayant été entreprise seulement quelques semaines plus tôt, les trouvailles s'étaient bor-
nées jusqu'à présent à quelques têtes de flèches et
morceaux de poteries, datant des Indiens des Plaines.
Les chercheurs atteignaient à peine en ce moment les
couches de terrain contenant des objets laissés par les
civilisations pré-indiennes.

— Nous sommes à présent certains qu'il s'agit
d'un site très ancien, expliqua Paul, à cause des
objets qui ont été révélés par l'érosion de la rivière
sur les monticules. C'est un fermier qui m'a signalé
l'existence de ces vestiges sur sa terre. Il m'a apporté
un crâne humain et des outils en os d'animaux qu'il
avait découverts en saillie sur la berge, là-bas.

Il montra du doigt le mamelon le plus érodé, au
bord de l'eau.

En l'écoutant parler de son travail, Clio commença
à entrevoir une autre facette de la personnalité de
Paul Nicolas, qui semblait en totale contradiction
avec l'homme grave et arrogant qui l'avait si mal
reçue la veille. Elle comprenait mieux pourquoi il
avait la réputation d'être un excellent professeur.
Quand il évoquait les gens qui avaient jadis peuplé la
Fourche Maline, il paraissait les connaître comme de
vieux amis. Elle se rendit compte que même s'il lui
était antipathique en tant que personne, elle ne
pouvait que l'admirer quand il abordait le domaine
de l'archéologie. Il avait l'étoffe d'un grand savant.

Pourtant, ce n'étaient pas tant son savoir et sa

renommée qui intriguaient la jeune femme. Il possédait aussi une force virile qu'elle trouvait démesurée.
Elle en était tout à la fois fascinée et intimidée. A
chaque fois que leurs bras se frôlaient fortuitement
dans l'étroitesse des tranchées, Clio se troublait
aussitôt. Elle était alors incapable de se concentrer
sur ce qu'il disait — bien que ce fût d'ordre uniquement professionnel. Il avait une bouche très sensuelle
et une mâchoire incroyablement forte, mais Clio
essayait de se concentrer sur ses yeux au regard
impénétrable ou sur l'objet qu'il lui désignait. Elle ne
voulait pas perdre un mot de ce qu'il lui disait, car
elle était venue pour apprendre le maximum de
choses pendant tout cet été.

— Parlez-moi des habitants de la Fourche Maline,
demanda-t-elle. Quelles sortes d'outils fabriquaient-
ils ? Utilisaient-ils le bronze ? y a-t-il des traces
d'agriculture ou d'élevage ?

Paul éclata d'un rire franc.

— Attendez un peu. Nous ne connaissons pas
encore les réponses, mais vos questions sont très
pertinentes.

Il la prit par le bras et l'entraîna vers le remblais où
les premières découvertes avaient eu lieu, au bord de
l'eau. Clio se dit avec ravissement qu'elle avait enfin
réussi à arracher un mot aimable et même un fugace
sourire au sombre professeur. Il était sans aucun
doute l'homme le plus beau qu'elle ait jamais rencontré, et le contact de sa main sur son bras nu la faisait
frissonner.

Pourquoi la tenait-il ainsi ? Elle était capable de

grimper et de descendre sur ces talus sans son aide.
La croyait-il trop frêle et maladroite pour y parvenir
seule ? Et pourtant, elle se laissait faire. Elle était la
première étonnée de s'entendre aussi bien avec un
homme qu'elle n'aimait même pas.

— Cette opération est très modeste, affirma Paul
comme ils atteignaient ensemble le sommet du monticule. Le chantier sur lequel j'ai travaillé l'été
dernier recensait six experts dans différents domaines
archéologiques, et près de cinquante fouilleurs. Mais
sur un site tel que celui-ci, chacun doit être à la fois
un fouilleur et un scientifique. De plus, contrairement aux fouilles que nous avons commencées au
Pérou, et qui devraient s'étaler sur plusieurs années,
le site de la Fourche Maline ne durera pas plus d'un
été. Vous avez sans doute remarqué l'autoroute en
construction. J'ai dû déposer une demande pour
obtenir quelques mois de sursis pour le site. Ensuite,
il sera détruit.

— Mais n'existe-t-il pas des lois qui protègent les
sites archéologiques non encore explorés ? s'étonna
Clio.

— Si, mais je crains que les lois n'aient que peu
d'effet, face à l'impatience des promoteurs. Il me
faudrait davantage de moyens et d'hommes pour
utiliser le mieux possible le peu de temps dont nous
disposons.

Clio apprit alors que la falaise qui dominait la rive
opposée de la rivière était une carrière de silex
connue sous le nom de Falaise Magique. Elle avait
fourni pendant des milliers d'années le précieux silex

nécessaire à la fabrication des outils et des armes des Indiens et de leurs prédécesseurs. Ils avaient appris à faire du feu en frappant du métal contre ces pierres. Le silex était jadis si important qu'un endroit comme la Falaise Magique avait donné naissance à de nombreuses légendes et même à des rites sacrés.

La falaise de silex, le creux profond au tournant de la rivière, la large bande de terre fertile protégée par les collines environnantes, tout cela avait créé un lieu propice à l'habitation des hommes durant des milliers d'années. Couche après couche, les fouilles révélaient les différentes époques qui se superposaient dans la profondeur du sol. Plus on creusait loin, disait Paul, et plus loin on voyageait dans le passé archéologique de la région.

— Avec l'avènement de la civilisation des Indiens des Plaines, affirma-t-il, tandis qu'ils se dirigeaient ensemble vers le mamelon le plus haut, de l'autre côté du champ, ce site n'a plus abrité un véritable village, comme auparavant. Il est devenu une étape régulière pour les tribus nomades. La légende dit que la Falaise Magique était un endroit où les vieux aimaient venir mourir. Ils faisaient leur dernière prière au Grand Esprit du haut de la falaise — à l'endroit précis où la direction des autoroutes a décidé d'appuyer les fondations du pont qui enjambera la rivière. Un pilier viendra détruire le plus petit monticule, et les quatre autres seront définitivement enterrés par les travaux nécessaires à l'élévation du terrain pour faire la jonction avec le pont de ce côté-ci.

— C'est vraiment révoltant de voir réduites à néant autant de clés de l'histoire de l'humanité. Il y a tant à en apprendre, dit Clio.

— Vous n'êtes pas la seule à être de cet avis, Miss Marshall, mais chacun a des raisons différentes. Les archéologues veulent préserver tout cela pour l'étudier encore. Mais certains groupes d'Indiens veulent à la fois se débarrasser des promoteurs et des archéologues de l'état, car il considèrent que toute intervention humaine dans ces lieux, quelle qu'elle soit, est une offense aux esprits des anciens et un sacrilège pour ceux qui ont été enterrés ici.

— Et cette offense aux esprits ne vous gêne-t-elle pas vous-même ? demanda Clio.

— C'est une question que j'ai réglée avec ma conscience depuis longtemps déjà, dit-il en regardant en direction de la falaise de pierre grise. J'ai décidé que mon peuple avait davantage besoin de révéler son histoire que de préserver de vieux ossuaires.

Clio était fascinée par cet énigmatique professeur, avec son bandeau de perles multicolores, sa veste à franges et son collier de turquoise. Il semblait profondément enraciné dans le monde de ses ancêtres, tout en possédant les diplômes les plus élevés au sein d'une université du vingtième siècle.

Que de mystères attendaient d'être résolus dans ce site enchanteur ! Elle allait contribuer à cette noble tâche, grâce au savoir d'un homme passionné par son peuple et reconnu par le monde entier comme un éminent savant. Même si en tant qu'individu, il n'avait pas produit sur elle la meilleure impression de prime abord, elle respectait profondément son intelligence. Elle aurait voulu qu'il ne cesse jamais de lui parler, de partager ses connaissances avec elle. Elle aurait voulu tout apprendre de lui.

Il se tut un instant, le regard perdu par-delà la rivière. A cet instant, Clio savait qu'il ne voyait plus les falaises et les prairies mais une vision bien plus ancienne, celle des civilisations d'autrefois.

— Je suis fière d'être ici, murmura-t-elle simplement.

Paul se retourna vers elle et la fixa un moment. Elle plongea ses yeux dans les siens, mais brusquement il se détourna. Ses doigts jouaient distraitement avec la pépite de turquoise qui pendait sur sa large poitrine, et son visage se transforma en un masque austère.

— Non, vous êtes folle d'être venue, dit-il. Je devrais vous renvoyer chez vous avant que vous n'abîmiez votre jolie peau sous ce soleil implacable, et que vos mains douces ne deviennent calleuses. Vous n'êtes pas bâtie pour cela, Miss Marshall.

— Mais le professeur De Silvestro ? C'est une femme et pourtant elle semble survivre sans aucune difficulté à la vie d'archéologue... rétorqua Clio dont l'exaltation de l'instant précédent s'évanouissait soudain.

— Beaucoup de femmes sont d'excellentes archéologues et elle fait partie des meilleures, dit-il d'une voix qui trahissait toute son admiration. Elle a passé son enfance sur les nombreux sites que son père à mis à jour. Il l'emmenait partout avec lui sur

les chantiers de fouilles. Ne vous y trompez pas : sous
une apparence séduisante, elle cache un tempéra-
ment d'acier. C'est une femme remarquable.

Clio comprenait qu'il la voyait tout à fait à l'opposé
de la merveilleuse, de l'intrépide Péruvienne aux
talents accomplis.

— Je suis peut-être plus solide que je n'en ai l'air
souffla-t-elle. N'aurai-je même pas l'occasion de le
prouver ?

— Si vous partiez dès maintenant, je pourrais
peut-être engager quelqu'un à votre place. Au milieu
de l'été, il sera sans doute trop tard.

Il la regarda à nouveau fixement.

— Si seulement vous aviez été un peu plus forte,
reprit-il, et votre peau un peu moins pâle... Vous
ressemblez à une princesse de conte de fée, descendue de sa tour d'ivoire. Vous êtes faite pour attendre
sagement le prince charmant, assise à broder devant
une fenêtre... pas pour soulever des pelletées de
terre en pleine nature !

— Est-ce que vous me demandez de m'en aller ?
questionna-t-elle gravement.

Il la scruta une fois de plus de ses yeux noirs et
insondables. Ses doigts ne quittaient pas le collier de
turquoise qu'il portait autour du cou.

— Non, décida-t-il. Je n'en ai pas le droit, c'est
vous-même qui me l'avez si brillamment rappelé hier
soir. Mais je veux m'assurer que vous comprenez à
quoi vous vous engagez. Vous êtes peut-être légère
comme une plume, mais vous allez devoir fournir

autant de travail que ces gaillards costauds que vous voyez creuser là-bas.

— C'est ma ferme intention, affirma-t-elle avec conviction.

— Dans ce cas, c'est entendu.

Pensant qu'il avait prononcé le mot de la fin, Clio se leva pour aller rejoindre le reste de l'équipe qui travaillait sur le monticule voisin. A sa grande surprise, Paul la retint par la main. Il ouvrit sa paume et l'examina.

— Avez-vous des gants ? demanda-t-il.

Elle secoua négativement la tête.

— Je veillerai à ce que Cookie vous en rapporte la prochaine fois qu'il ira en ville. N'omettez jamais de les mettre à chaque fois que vous travaillerez. Avec des mains en sang, vous ne me seriez d'aucune utilité. Gardez aussi toujours votre chapeau. Et après le déjeuner, vous troquerez ce vêtement ridicule contre une chemise à manches longues. Votre peau est beaucoup trop exposée au soleil ainsi.

Ayant terminé ses recommandations, il lui relâcha la main et ils gagnèrent ensemble l'autre mamelon où se tenaient les autres. Yvonne les regarda s'approcher, debout face à eux, les mains sur les hanches.

— Si tu as terminé avec la nouvelle recrue, dit-elle à Paul d'un ton hautain, j'aimerais te montrer les fragments de poteries que nous avons déterrés avant que je les retire du sol. Juan a déjà pris des clichés.

Paul acquiesça d'un signe de tête et tendit galamment la main à Yvonne. Celle-ci lança un coup d'œil triomphant à Clio par-dessus son épaule et les deux professeurs s'en allèrent côte à côte dans le creux de terre, au centre des cinq monticules. Leur cheveux également noirs avaient des reflets bleutés dans le soleil aveuglant. Leurs têtes se touchaient presque, tandis que Paul se penchait vers Yvonne pour entendre ce qu'elle lui disait. Clio les regarda s'éloigner, admirant leurs jambes musclées et bronzées dont les pas s'accordaient parfaitement.

Chapitre 3

Les fouilleurs travaillaient toujours deux par deux, pour que rien n'échappe à leur vigilance, mais aussi pour que le travail soit moins fastidieux. Clio fut confiée à Dennis, visiblement ravi de partager sa tranchée avec « Lady Clio », comme il aimait l'appeler.

Clio s'était vite rendu compte que Dennis était un séducteur-né, et elle regretta d'être habillée si légèrement quand elle sauta près de lui dans ce trou de terre qui lui arrivait à la taille. L'étudiant prenait manifestement beaucoup de plaisir à voir ses cuisses et ses épaules entièrement nues.

Elle s'efforça d'adopter un ton résolument professionnel pour lui parler de ses recherches.

Il lui apprit qu'il était en train d'exhumer les restes d'une habitation qui s'était jadis élevée à cet endroit. La construction avait été supportée par des poteaux de bois profondément enfoncés dans le sol, et bien que ces poteaux soient tombés en poussière depuis très longtemps, les trous de leurs fondations demeuraient visibles. La poussière qui les remplissait, constituée des restes de bois, était moins dense et d'une nature différente de la terre qui les entourait. Dennis recueillait avec précaution cette poussière dans les trous à l'aide d'une cuillère à soupe toute bosselée. Il expliqua à Clio qu'il espérait ensuite, grâce au diamètre des trous de fondation des poteaux, pouvoir déterminer la taille et le profil de la structure qu'ils avaient jadis soutenue. Grâce à ces renseignements, l'équipe saurait où creuser d'autres tranchées.

— Nous aimerions trouver le tas d'ordures que cette famille avait fait, par exemple, dit-il. Vous seriez surprise de voir tout ce que l'on apprend du mode de vie des gens à travers ce qu'ils jetaient. Je voudrais aussi savoir où ils faisaient la cuisine. Si je découvrais du charbon de bois, cela me permettrait de dater avec précision l'époque du site. J'ai déterré hier des os de cailles. S'ils proviennent du dîner d'un des habitants, nous approchons peut-être du but.

L'enthousiasme de Clio allait croissant. Ainsi, il était possible de savoir ce qu'avait mangé une famille ayant vécu ici même plusieurs milliers d'années auparavant ! Elle travailla en étroite collaboration avec Dennis durant toute la matinée. La terre qu'ils recueillaient dans des paniers était ensuite portée dans un grand tamis monté sur un trépied plus haut que Clio. Les plus gros débris retenus par la grille du tamis étaient alors portés à la rivière pour être lavés, dans l'espoir d'y trouver autre chose que de vulgaires cailloux.

Le transport et le hissage des paniers et des tamis revenaient presque exclusivement à Dennis, bien que Clio aidât de son mieux. Pourtant, il ne semblait pas lui en vouloir le moindre du monde de son manque d'efficacité. Au contraire, il bavardait gaiement avec elle et ne manquait pas une occasion de lui frôler les jambes ou les épaules, tandis qu'ils travaillaient côte à côte avec leurs truelles et leurs cuillères.

Il était très séduisant, avec ses cheveux blonds bouclés et sa peau bronzé. Il se vanta d'être un champion de football, ce que Clio crut aisément car il en avait la carrure.

La modestie n'était pas son fort mais il avait tellement d'humour que cela le rendait sympathique. Il insinuait à la moindre occasion que Clio et lui étaient faits pour vivre une histoire d'amour ensemble.

— C'est le ciel qui vous envoie sur ce chantier, ma belle, lui dit-il. Le professeur Nicolas a beau être furieux que vous ne soyez pas de l'étoffe des amazones, je suis pour ma part ravi de vos mensurations de poupée. L'été s'annonçait bien triste, ici, sans femme digne de ce nom !

— Vous oubliez le professeur De Silvestro, objecta Clio. Elle est très féminine.

— Ah, oui : la femme-dragon. J'avoue que l'idée de séduire une femme d'âge mûr est intéressante, mais au cas où vous ne l'auriez pas remarqué, cette dame est déjà prise. J'ai trop besoin de mon diplôme de fin d'année pour risquer de m'attirer les foudres

du professeur Nicolas, en m'approchant de sa favo-
rite.

— Je comprends, acquiesça Clio. Mais j'ignorais
que leur liaison était aussi sérieuse.

Elle se demanda avec amusement ce que Dennis
penserait quand il apprendrait qu'elle appartenait
elle-même à la catégorie des femmes qu'il considérait
« d'âge mûr » — et qu'elle était, de surcroît, divorcée. Il n'en deviendrait sans doute que plus pressant.
Mais elle ne voulait pas songer davantage à ce
problème, pas plus qu'elle n'aimait penser à l'atta-
chement amoureux des deux professeurs. Curieuse-
ment, la confirmation que Dennis venait de lui
donner au sujet de la relation entre Paul et Yvonne
lui était désagréable.

— Pourquoi êtes-vous si impatient d'obtenir votre
diplôme ? fit-elle pour changer la conversation.

— Parce que je mérite les plus hautes distinctions
de l'université américaine, dit-il avec la fatuité dont il
aimait jouer.

— Je ne me doutais pas que l'homme assis dans ce
fossé à côté de moi était aussi intelligent, le taquina-
t-elle sur le même ton, tandis qu'elle s'accroupissait
pour mieux voir l'objet qu'elle venait de déblayer.

— L'intelligence n'est qu'une de mes innombrables qualités, annonça Dennis en posant la main sur
la cuisse nue de la jeune femme.

Clio voulut éviter sa caresse et perdit l'équilibre.
Avant d'avoir compris ce qui lui arrivait elle passa de
la position accroupie à celle, beaucoup plus compro-
mettante, d'allongée : elle s'était étalée de tout son

long sur Dennis qui riait aux éclats. Il entoura
aussitôt sa taille d'une main ferme et lui dit :

— Vous voyez ? Je suis tout bonnement irrésistible. Vous vous êtes jetée dans mes bras.

Malgré ses lourdes insinuations, Clio préféra ne
pas prendre l'impudent jeune homme trop au sérieux
et se mit à rire avec lui, tout en essayant de se
dégager de son étreinte.

C'est à ce moment qu'elle aperçut l'ombre de Paul
dressée au bord de la tranchée : il venait d'assister à
leurs grotesques facéties !

Clio se releva promptement, rouge de honte.
Qu'allait-il penser d'elle à présent ? Elle ramassa sa
truelle et se mit à gratter une fine couche de terre,
comme Dennis le lui avait enseigné. L'ombre ne
bougeait toujours pas. La tête basse, dissimulant son
visage sous son large chapeau, elle trouvait le silence
qui l'entourait soudain insupportable. Le cri d'un
geai déchira l'air rempli du frais murmure de la
cascade toute proche. Plus loin, on entendait Juan et
Edgar se parler dans un espagnol très rapide.

Enfin, après ce qui sembla être une éternité, Paul
s'éloigna en étouffant un juron, et le soleil retomba
sur la terre rouge de la tranchée. Clio regarda
Dennis. Apparemment, la scène ne l'avait pas affecté
le moindre du monde.

— De quoi avons-nous l'air ? demanda-t-elle d'un
ton presque accusateur.

— Il croira sans doute que nous avons eu le coup
de foudre. Ce sont des choses qui arrivent, vous
savez.

— Mais c'est complètement faux !

— Qui sait ? Peut-être est-ce un présage de ce que nous allons bientôt vivre, dit-il en approchant une fois de plus ses doigts de la cuisse nue de Clio.

— Nous ferions mieux de nous concentrer davantage sur notre travail, annonça la jeune femme en le repoussant.

Dennis s'inclina et reprit sa fouille minutieuse.

Le reste de la matinée se passa plutôt agréablement. Tout en travaillant, les deux étudiants bavardèrent amicalement sans reparler de l'incident.

— J'ai l'impression que Nicolas ne va pas être tendre avec vous, déclara soudain Dennis avec sympathie. La construction de cette autoroute lui donne énormément d'inquiétudes, il craint que le site ne soit détruit avant qu'il ait eu le temps de l'explorer complètement. Sous cette menace, il devient très susceptible. Il attendait un homme, et c'est vous qui êtes arrivée. Je suis certain qu'au fond de lui-même il a le sentiment d'avoir été dupé, lors de votre inscription à la bourse.

— Franchement, je n'y suis pour rien. L'archéologie n'est plus, que je sache, un métier réservé aux hommes. Et je suis contente en un sens, qu'il y ait eu quiproquo, car s'il avait tout de suite compris que j'étais une femme, il m'aurait délibérément refusé la bourse, bien qu'il n'en ait pas le droit.

— C'est exact. Mais, Lady Clio, êtes-vous suffisamment solide ? Allez-vous être capable de survivre à un été de poussière, de chaleur et de travail physique exténuant? Avec, en prime, un méchant professeur qui désapprouve votre présence ici?

Clio fixa d'un air navré le verni écaillé de ses ongles maculés de terre. Elle était déjà fourbue d'être restée si longtemps accroupie.

— Je l'ignore, répondit-elle. Mais je jure de faire tout mon possible. Malgré l'hostilité du professeur Nicolas, je respecte son savoir et je désire enrichir le mien.

— Vous avez raison, acquiesça Dennis, sérieux pour un instant. Voyez-vous, j'ai moi aussi une ou deux choses à vous apprendre. Entre un professeur érudit et moi-même, votre été promet d'être riche en enseignements!

Après son petit déjeuner frugal, Clio eut faim bien avant que Cookie ne sonne la cloche du déjeuner. Quand elle arriva à la grande tente, en compagnie de Dennis, Paul les regarda fixement. Elle décida alors de s'asseoir loin de son camarade, et prit place à la table des trois étudiants péruviens.

Edgar s'avéra être aussi expansif que ses deux amis étaient timides. Une conversation animée s'engagea bientôt entre lui et Clio, au sujet de l'histoire sud-américaine. Très vite, Edgar parla à la jeune femme de sa fiancée qu'il avait laissée à Lima; il en était visiblement très amoureux et souffrait du mal du pays.

— Nous devons nous marier à Noël, lui avoua-t-il fièrement. C'est une fille formidable, petite et jolie comme vous, mais aussi brune que vous êtes blonde.

Edgar se plaisait visiblement à faire ses confiden-ces à Clio, et à lui parler de son amour pour Margarita. Il ne s'adressait qu'à elle, car il ne voulait pas que ses camarades entendent combien il se sentait seul.

Clio, de son côté, éprouva une sympathie immé-diate pour le gentil Péruvien, et, bien qu'il soit malheureux pour l'instant, elle l'envia d'aimer quel-qu'un aussi fort. Une lueur magique brillait dans ses yeux quand il prononçait le nom de sa bien-aimée. Clio se dit qu'elle avait peut-être ressenti la même chose pour Clayton, jadis, mais elle ne s'en souvenait plus. Peut-être cela signifiait-il qu'elle ne l'avait jamais vraiment aimé.

En revenant de la tente qui faisait office de cuisine, où ils avaient rapporté leurs plateaux vides, Clio posa la main sur le bras d'Edgar dans un élan d'affection.

— Votre Margarita a beaucoup de chance, lui dit-elle. Ce doit être merveilleux d'être autant aimée par un homme.

Il effleura sa joue du bout des doigts.

— Ah, jolie Clio, un jour vous aussi vous éveille-rez l'amour dans le cœur d'un homme. Vous êtes ravissante et vos yeux à la nuance si proche de la turquoise indienne le séduiront immanquablement. Il sera conquis comme je l'ai été par Margarita. Cela viendra, vous verrez.

Les paroles d'Edgar touchèrent profondément Clio. Elle appréciait l'amitié qu'il lui témoignait. Entre l'hostilité du professeur Nicolas et la cour trop pressante de Dennis, elle était rassurée d'avoir trouvé un ami qui lui semblait sincère. Elle pourrait lui accorder sa confiance autant qu'il l'avait fait lui-même en lui racontant ses secrets.

Elle salua Paul d'un signe de tête en quittant la table du repas en compagnie d'Edgar et des deux autres Péruviens. Elle était fière de lui montrer que les autres membres de l'équipe l'avaient accueillie favorablement.

Depuis le début de la matinée, de gros nuages gris s'étaient amassés dans le ciel, et Paul décida que tout le monde travaillerait sans s'arrêter jusqu'au soir, pour profiter de cette fraîcheur relative et inhabituelle en milieu de journée. Mais malgré les nuages, l'atmosphère oppressante de la tranchée où l'air ne circulait guère était difficile à supporter pour Clio. Elle imaginait aisément combien on devait souffrir quand la température s'élevait au-dessus de 40° et plus.

Régulièrement, elle emportait la terre à la rivière avec Dennis pour la tamiser et laver les résidus. Elle attendait avec impatience ces intermèdes rafraîchissants où elle pouvait enfin déplier ses jambes ankylosées et les plonger avec délices dans le courant. La seule fois où Paul s'adressa à elle, ce fut pour lui ordonner d'aller mettre un jean et une chemise à manches longues.

— Vous êtes en train d'attraper un coup de soleil, l'avertit-il d'un ton désagréable.

Surprise, elle regarda ses bras et ses jambes.

— Ce n'est rien, dit-elle. Il n'y a pas suffisamment

de soleil aujourd'hui pour prendre de telles précautions.

Paul la saisit par le bras comme elle faisait mine de s'éloigner.

— Il me semblait vous avoir déjà expliqué que nous ne sommes pas dans le Nebraska, mais dans l'Oklahoma. Les ciels couverts sont toujours les plus traitres. On ne se rend pas compte de la quantité d'ultra-violets que l'on reçoit à travers les nuages. Voyez !

Il pressa fermement ses doigts sur l'épaule nue de la jeune femme. Quand il les ôta, des empreintes blanches prouvèrent de façon accablante que sa peau avait été trop exposée. Il répéta son geste sur l'autre épaule. Ce contact physique troubla Clio. Elle n'eut pas le courage de regarder Paul dans les yeux.

— Vous avez raison, balbutia-t-elle. Je vais changer de vêtements.

— Et surtout n'enlevez pas votre chapeau. Quant aux gants, Cookie devrait vous les rapporter très bientôt.

Il lui prit la main et l'ouvrit. Les efforts de la journée s'y lisaient aisément. Hormis les ongles cassés et le vernis misérablement écaillé, des ampoules commençaient déjà à se former sur les paumes.

— Avez-vous toujours l'intention de persévérer ? questionna Paul.

— Ce n'est pas la première fois que j'ai des ampoules, répliqua-t-elle avec rage.

Il effleura avec une infinie douceur sa main meurtrie et remonta tout doucement le long de son bras.

Clio aurait aimé se soustraire à cette caresse inattendue et délicieuse, mais quelque chose de plus fort que
sa volonté l'en retenait. Elle fixa malgré elle la
poitrine large et musclée de Paul, moite de sueur, et
elle eut la folle envie de promener elle aussi ses
doigts sur cette peau bronzée. Gênée et confuse, elle
ne comprit pas comment un homme qu'elle n'aimait
pas, et qui ne l'aimait pas, pouvait éveiller en elle un
tel trouble. Elle retira vivement sa main.

— Merci de vous intéresser à mon bien-être, dit-
elle en s'efforçant d'être ironique, avant de s'enfuir
vers sa tente pour changer de vêtements.

Le second avertissement de Paul au sujet du soleil
était venu trop tard. Un bain rafraîchissant dans la
rivière ne parvint pas à éteindre le feu qui semblait
brûler sur la peau de Clio. Au dîner, elle souffrit le
martyre. L'étoffe rugueuse de son jean et même sa
chemise étaient insupportables. Pourtant, elle voulait
cacher ses coups de soleil pour ne pas s'attirer une
fois de plus les foudres du professeur Nicolas.

Gagnée par la fièvre, elle souffrait de surcroît
d'atroces courbatures. Elle prit son plateau et avala
plusieurs grands verres de thé glacé. Quand elle
rendit sa nourriture presque intacte à Cookie, et
qu'elle lui demanda encore un dernier verre de thé, il
la regarda d'un air désolé.

— Vous finirez par vous habituer à tout cela, dit-il
gentiment.

Clio n'avait qu'une hâte : se sauver jusqu'à sa
tente et s'étendre sur son lit, mais elle se força à
assister au cour du soir et à la discussion qui suivit.

Quand le feu de camp fut allumé, et qu'Edgar apporta sa guitare, elle annonça qu'elle était fatiguée et laissa ses camarades se distraire sans elle.

Avec la lueur de la lune pour seul éclairage, elle se déshabilla avec précaution et tomba allongée sur son lit, sans même tirer le drap sur elle. La seule idée d'un tissu touchant sa peau lui était intolérable.

Aucune position n'était confortable. Son corps tout entier protestait au moindre mouvement. Sur le dos, ses épaules brûlantes la faisaient souffrir. Sur le ventre, elle ne supportait pas le frottement du drap sur la peau rougie de ses genoux et de ses cuisses.

Elle sombra quelque temps dans un sommeil fiévreux, d'où elle percevait par intervalles les échos de la belle voix d'Edgar qui chantait un air traditionnel en espagnol, repris en chœur par Juan, Miguel et Yvonne.

Plus tard, cependant, elle se réveilla complètement, car la douleur l'empêchait de trouver le vrai sommeil. La fièvre avait augmenté et elle poussait malgré elle de faibles gémissements dès qu'elle remuait.

Comment vais-je pouvoir travailler demain ? se demanda-t-elle. Je ne serai même pas capable de me lever ! Et pourtant la perspective de mendier dès son arrivée une journée de repos était inimaginable.

A présent, le camp était redevenu silencieux, ormis le murmure incessant de milliers d'insectes nocturnes. A travers l'interstice des pans de sa tente, Clio distinguait le feu mourant doucement et ses braises s'éteignant une à une. La lampe avait été

3

retirée. Une lumière brilla encore pendant un moment dans la tente de Dennis et de Sam, mais elle finit elle aussi par s'éteindre.

Les rayons argentés de la lune éclairaient seul le site. Clio se sentait terriblement seule et désemparée. La diligente tante Sarah n'était pas là pour appeler le médecin. D'ailleurs, il n'y avait même pas de téléphone. Et bien qu'elle soit malade, la jeune femme était trop fière pour appeler à l'aide.

Elle se souleva péniblement pour la centième fois sans parvenir à soulager ses douleurs. Le moindre geste ne faisait qu'empirer la souffrance. Elle étouffa un cri, et les larmes jaillirent de ses yeux malgré elle.

Seul le sommeil lui apporterait un bref répit, mais lorsqu'elle fermait les paupières, elle voyait un soleil aveuglant darder ses rayons sur son corps brûlant. Elle essaya de penser à la fraîcheur, à la rivière, à une brise bienfaisante et même à de la glace et à de la neige. Soudain, contre toute attente, une sensation de froid l'envahit. Elle crut tout d'abord qu'il s'agissait d'un rêve, et poussa un soupir de bien-être.

Mais ce contact froid et humide sur sa peau était bien réel, tout au contraire. Elle sentit quelqu'un enlever un linge mouillé de sa cuisse gauche et l'entendit le tremper dans l'eau, puis l'essorer, avant de l'appliquer à nouveau. L'opération se répéta pour sa jambe droite, puis pour chaque épaule. Les compresses humides semblaient absorber une partie de la chaleur emmagasinée en elle. Quel soulagement !

Soudain reprenant conscience, Clio se souvint où

elle était et dans quelle tenue. Elle portait en tout et pour tout un mini-slip en dentelle. Elle ouvrit à regret les yeux. Penchée sur elle, une noire silhouette officiait en silence sur son corps fiévreux. Le filet de lumière lunaire et pâle qui filtrait à l'intérieur de la tente ne lui fut pas nécessaire pour reconnaître aussitôt Paul Nicolas. Elle se redressa sur les coudes, regarda ses seins dénudés et retomba sur son oreiller en gémissant. Elle essaya alors de saisir un coin de son drap pour s'en recouvrir mais une main ferme l'en empêcha. .

— Ce n'est pas le moment d'être pudique, murmura-t-il. Aussi tentant soit-il, je n'en veux pas à votre corps. Je suis là pour soulager vos brûlures, car vous avez mal. Voici des cachets d'aspirine pour vos douleurs musculaires.

— Comment saviez-vous...

— Que vos muscles étaient meurtris ? Cela se voyait à chacun de vos mouvements aujourd'hui.

Quant elle eut avalé les cachets, il lui tendit un petit flacon.

— Qu'est-ce que c'est ? demanda-t-elle.

— Du vin. Buvez-le, cela vous aidera à dormir.

Tandis qu'elle s'exécutait et buvait le liquide à petites gorgées, il continua à rafraîchir les compresses qui recouvraient ses jambes et ses épaules. Clio en était étonnamment soulagée.

L'effet du vin ne se fit guère attendre. La fatigue l'emporta sur la douleur et les paupières de la jeune femme s'alourdirent.

— Dormez, dit Paul en l'aidant à installer son

oreiller. Je vais rester un moment pour maintenir les compresses froides.

Elle leva les yeux vers son profil imposant dessiné dans le clair de lune.

— Je m'en irai demain, si vous voulez, soupira-t-elle sur un ton de regret qui la surprit elle-même. Je vous ai déjà causé beaucoup d'ennuis. Je ne suis pas aussi résistante que je le croyais.

— Nous en reparlerons plus tard, dit-il d'une voix neutre, sans qu'elle puisse voir l'expression de son visage noyé dans l'ombre. Vous devriez dormir à présent.

— Oui, merci. Vous avez été très bon, mais seulement...

— Seulement quoi ?

— Seulement, j'espère que vous voyez mal la nuit. Je... Je me sens très mal à l'aise allongée ainsi, devant un homme qui me regarde.

— Désolé de vous décevoir, mais vous n'ignorez pas que j'ai du sang indien, n'est-ce pas ? Je suis capable de repérer une fourmi sur un tronc d'arbre à deux cents mètres par une nuit sans lune. Je vous ai promis de ne pas profiter de la situation, pas de ne pas vous regarder.

Clio ferma les yeux et replia un bras sur son visage pour dissimuler sa gêne. Son regard sur elle était comme une caresse, une caresse possessive... sur ses jambes nues, ses hanches fines, son string de dentelle blanche, la minceur de sa taille et la rondeur de sa poitrine.

Elle aurait dû rouler sur le ventre, ou bien tirer le

drap sur sa nudité. Cet homme n'avait pas le droit de rester là à la contempler.

Pourtant, était-ce à cause du vin, ou à cause de la fièvre ? Un doux engourdissement la gagnait et sa honte s'estompait presque totalement. Elle allait glisser dans un sommeil bienfaisant tandis que les yeux de cet homme se réjouiraient du spectacle de son corps offert.

Etrangement, dans la semi-inconscience où elle flottait, elle se surprit à se réjouir de se montrer ainsi, presque entièrement nue devant lui. Oui, elle voulait qu'il la voie ainsi, qu'il l'admire.

Chapitre 4

Paul ne regagna pas immédiatement sa tente après avoir quitté Clio. Il descendit à la rivière et s'assit sur un rocher plat. Il aimait cet endroit. La rivière l'apaisait. Elle coulait ici depuis bien avant que les premiers hommes aient foulé ses berges et soient venus se rafraîchir dans son courant transparent. Elle n'avait pas d'âge. Elle était éternelle.

Elle partirait bientôt, elle. Clio Marshall était de cette race de femmes qui s'en allaient toujours. Demain ou un peu plus tard, il faudrait qu'elle s'en aille et qu'elle sorte de sa vie à lui.

Pourtant, elle était intelligente, il devait l'admettre. Les questions qu'elle avait posées ce jour-là étaient sensées et pertinentes. Quant à son devoir sur Spiro, il l'avait ressorti pour l'examiner à nouveau : il était excellent. Paul regrettait à présent sa stupide suspiscion au sujet de l'auteur de ce mémoire. En le relisant, il y avait retrouvé la personnalité de Clio : sa curiosité naturelle, son intérêt pour la vie quotidienne de ceux qui avaient jadis peuplé le site de

Spiro. Ce n'était pas très professionnel, mais c'était un défaut qu'il aimait bien car il s'y laissait volontiers souvent entraîner lui-même.

De plus, Clio ne s'était pas ménagée pour cette première journée. Elle était allée au bout de ses forces, à tel point que demain elle serait incapable de travailler.

L'effet qu'elle avait produit sur l'équipe ne l'avait pas surpris. Yvonne était belle, mais elle les intimidait tous. Clio n'intimidait pas, elle plaisait. Quand elle prenait l'un des garçons à part pour échanger quelques mots ou un sourire, il semblait invariablement flatté et se prenait au jeu.

Dennis par exemple, avait tout de suite compris à quelle femme il avait affaire. C'était un fameux Don Juan, et il n'avait pas perdu de temps à lui faire la cour. Peut-être même lui avait-elle elle-même tendu la main. Quoi qu'il en soit, en faisant sa ronde, ce matin-là, il les avait surpris occupés à tout autre chose qu'à l'archéologie.

Edgar, ensuite. Le pauvre Edgar ! Dennis, au moins ne risquait pas de souffrir. Il avait l'habitude des conquêtes. Mais Edgar était naïf. Il ressemblait à Paul lui-même lors de sa rencontre avec Claudia. Il était fasciné, et si vulnérable...

Paul plongea sa paume dans l'eau et en sortit une poignée de cailloux brillants. Un à un, il les rejeta dans l'eau vive. Quand cessait-on d'être vulnérable ? se demandait-il. Quand possédait-on une carapace assez épaisse pour résister à Clio Marshall et à ses pareilles ?

Il ferma les yeux, et comprit qu'elle allait hanter son sommeil. Il n'avait pas seulement désiré soulager ses coups de soleil : il serait volontiers resté dans sa tente jusqu'au matin...

En la maudissant à voix haute, il se leva et ôta ses chaussures. Il se glissa ensuite dans l'eau froide, dans l'espoir qu'elle l'aiderait à se calmer.

Aux premières lueurs de l'aube, Clio s'éveilla. Le camp était encore silencieux. Elle avait réussi à dormir plusieurs heures mais ses courbatures l'avaient arrachée au sommeil.

Allongée sur sa couche étroite, attentive aux premiers chants hésitants des oiseaux, avec en bruit de fond la rivière toute proche, elle se souvint soudain de ce qui était arrivé la veille. Mais était-ce vraiment arrivé ? Paul Nicolas était-il vraiment venu pour soulager ses coups de soleil ! L'avait-il vraiment soignée alors qu'elle était presque nue ? Ou s'agissait-il simplement d'un délire dû à la fièvre ?

Non, le verre dans lequel elle avait bu du vin était bien là, sur le casier orange près de son lit. De même que les tissus qui avaient servi de compresses pour soulager ses brûlures. Ils recouvraient encore son corps et glissèrent quand elle s'assit péniblement.

Elle ne portait toujours qu'un petit slip en dentelle et elle se rendit compte du spectacle qu'elle lui avait offert. Elle en était à la fois honteuse et ravie, presque bouleversée. Au seul souvenir des mains de Paul posées sur elle pour appliquer les linges humides, elle frissonna de plaisir. Le beau professeur exerçait indéniablement sur elle un immense attrait physique.

La tête pleine de pensées contradictoires, elle entendit soudain dans l'air calme des bruits de vaisselle entrechoquée par Cookie, à l'autre bout du camp. L'heure du petit déjeuner approchait, et il fallait revenir à la réalité. Sourde aux protestations de son corps, elle se força à rassembler ses affaires de toilette et se drapa dans son peignoir. Elle se dirigea avec peine jusqu'à la douche.

L'eau froide du seau atténua ses brûlures, et elle se savonna avec précaution. De retour à sa tente, elle s'enduisit de lotion hydratante, dans l'espoir d'éviter de peler de façon catastrophique, ce qui semblait bien compromis. Elle enfila son jean le plus vieux et le plus doux et une chemise à manches longues en pilou bleu. Heureusement grâce à son chapeau, les coups de soleil avaient épargné son visage. Elle eut l'envie un peu ridicule de se maquiller un peu : une touche de rouge sur les joues, du brillant rose sur les lèvres, et du mascara sur les cils. Enfin, elle appliqua une ombre légère sur ses paupières.

Comme elle était en avance ce matin-là, elle prit le temps de se brosser les cheveux pour les rendre brillants et doux, puis elle les noua en une queue de cheval. Elle mit son chapeau et se regarda une dernière fois dans son minuscule miroir de poche. Personne ne devinerait, en la voyant ainsi, combien elle souffrait de ses coups de soleil et de ses courbatures.

En allant vers la cuisine, cependant, elle dut faire

un effort supplémentaire pour que sa démarche gauche ne trahisse pas ses malheurs.

Paul se tenait à l'entrée de la grande tente. Clio fut très gênée de le voir et sentit son visage devenir aussi rouge que le reste de son corps.

— Comment allez-vous ? lui demanda-t-il poliment, sans rien laisser transparaître de leur intimité de la veille.

— Mieux, merci. Je ne sais pas ce que je serais devenue sans votre aide, Paul. Je vous promets de me méfier davantage de votre soleil de l'Oklahoma à l'avenir.

— Vous avez au moins eu le bon sens de garder votre chapeau hier, dit-il d'un ton bourru. Prenez votre petit déjeuner, nous parlerons ensuite.

Clio s'exécuta et alla chercher son plateau que lui tendait Cookie. A ce moment, Yvonne entra dans la tente pour rapporter le sien, vide. Elle le déposa près du tas de vaisselle sale ; Paul et elle sortirent ensemble sans un regard pour l'étudiante, et se dirigèrent vers les remblais.

Et Clio qui déjà s'était imaginé que le professeur l'avait attendue pour s'enquérir de sa santé... Quelle sotte elle était !... C'était à la belle Péruvienne qu'il pensait. Après tout, quoi de plus normal ? Ils semblaient être sur le point de se marier.

Paul n'avait fait que son devoir cette nuit-là en venant en aide à l'un des membres de son équipe. La jeune femme s'en voulait d'avoir osé croire qu'il s'agissait d'autre chose. Peut-être avait-il été quelque peu ému de la voir presque nue, mais il aurait sans doute prodigué les mêmes soins à n'importe qui.

D'ordinaire, elle n'attachait pas autant d'importance à l'attrait physique des hommes. Le beau profil de Paul et son corps superbe ne l'empêchaient pas d'être désagréable, elle ne devait pas l'oublier.

Clio était incapable de travailler. Elle avait même du mal à se hisser hors de la tranchée profonde d'un mètre à peine. Quant à soulever des pelletées de terre, il n'en était pas question. Mais elle avait la ferme intention de terminer malgré tout sa journée.

Comme elle revenait avec Dennis de leur premier voyage à la rivière, avec un tamis de fragments lavés, Paul l'appela auprès de lui à l'ombre d'un aulne où il avait installé une petite table pliante et quelques tabourets. Il remplissait son livre de bord quand elle arriva. Elle tomba aussitôt assise sur un tabouret, et attendit plusieurs minutes qu'il ait fini d'écrire. Elle s'attendait à ce qu'il allait lui dire et s'était préparée à ne pas se laisser intimider. Elle le regarda droit dans les yeux, d'un air de défi.

— Vous n'êtes pas en état de travailler, dit-il. Croyez-vous vraiment que cela vaille la peine de souffrir ainsi ?

— Vous me demandez de partir ? fit-elle, presque arrogante.

— Non, vous savez que je n'en ferai rien. Mais je vous donne l'opportunité de reconsidérer votre décision de rester. Vous n'êtes manifestement pas apte à fournir un travail aussi éprouvant.

— Qu'en savez-vous ? Dès que mes coups de soleil seront guéris, tout ira bien.

Le visage de Paul se durcit et il déplaça légèrement son tabouret pour appuyer ses épaules contre le tronc d'arbre, tout en croisant les bras sur sa large poitrine, en signe d'exapération.

— Je ne suis pas aveugle, Miss Marshall. Vous êtes à peu près aussi solide qu'un fétu de paille. J'ignore quelle vision idéaliste de l'archéologie vous a menée jusqu'ici, mais sachez que les romans et les films donnent toujours une idée de la vie des chercheurs sur le terrain bien plus rose qu'elle ne l'est en réalité. Nous ne sommes pas en Egypte ou à Rome. Nous ne fouillons pas les tombes des pharaons ou des César. Ici, il n'y a pas le moindre trésor enfoui. Nous travaillons sur la vie quotidienne des gens : leurs tas d'ordure, leurs maisons abandonnées, leurs tombes... Et tout cela pour comprendre un tant soit peu la mentalité des hommes qui ont foulé cette terre bien avant nous. La plupart du temps, il s'agissait de pauvres bougres. Ils ne construisaient pas de palais dorés ni des pyramides. Nous qui travaillons sur ces fouilles archéologiques, nous devons avoir l'humilité de prêter attention à ce que la majorité des gens méprise. C'est une vocation intellectuelle, pas une partie de plaisir. Et la seule récompense que l'on reçoit en retour consiste en une vague certitude d'avoir contribué à enrichir les connaissances humaines.

Clio se leva brusquement, oubliant un instant ses courbatures.

— Vous ne me croirez sans doute pas, dit-elle en soutenant le regard froid et presque cruel de Paul, mais je savais déjà tout cela avant de quitter Lincoln. A présent excusez-moi, je dois retourner à mon travail.

La tête haute, elle lui tourna le dos et s'éloigna dignement. Oser la traiter de fétu de paille, elle ! Elle qui avait toujours tant travaillé. Peut-être pensait-il qu'elle avait des domestiques chez elle prêts à lui obéir au doigt et à l'œil ? Comme si elle n'avait jamais frotté un plancher ou bêché le jardin jusqu'à l'accablement... Comme si elle ne s'était jamais penchée sur son bureau pour étudier au point de ne plus pouvoir remuer la nuque et les épaules !

Il ne me renverra pas d'ici, se promit Clio. Je veux en savoir autant que lui sur cet endroit.

Les Pharaons et les César ! mais pour qui la prenait-il ? Pour une enfant inculte ? Bien sûr qu'il n'y avait pas de trésor caché dans l'Oklahoma !

Pourtant, malgré sa fureur, Clio commençait à se demander si elle n'aurait pas dû écouter Paul. Chaque geste était un supplice. Jamais elle n'avait eu autant de courbatures après avoir jardiné chez son oncle Joe. Et le moindre frottement sur sa peau brûlée attisait sa douleur. Seul le désir têtu de prouver à Paul Nicolas qu'il avait tort lui donnait la force de persévérer.

Dennis l'aida tant qu'il put dans les diverses manœuvres de la matinée. Après le déjeuner, comme ils venaient de recommencer leur navette entre la tranchée et la rivière, Clio glissa sur un rocher mouillé et entraîna Dennis et le tamis plein de terre dans sa chute.

— Espérons que la découverte du siècle ne se trouvait pas dans ce tamis, fit Dennis en riant. Tout va bien ?

— Oh oui, merci, dit Clio en frottant son coude. Ce n'est rien, comparé à tout ce que j'endure depuis hier.

Elle était assise dans le courant et tira par la main Dennis qui s'était agenouillé auprès d'elle.

— Venez à côté de moi et laissez-moi souffler un peu, lui demanda-t-elle. Avec un peu de chance, notre « Grand méchant loup » ne nous verra pas.

En guettant d'un air comique l'endroit où Paul travaillait depuis le déjeuner, Dennis se glissa près de la jeune femme et étendit ses longues jambes recouvertes d'un épais duvet blond dans l'eau cristalline.

— Montrez-moi votre coude, insista-t-il.

Avec beaucoup d'exagération, le jeune homme empressé se mit à examiner le bras de Clio, comme s'il avait été un grand spécialiste. Il fit jouer l'articulation plusieurs fois, la palpa avec minutie. Puis, après avoir vérifié le bon fonctionnement de chacun des doigts de la jeune femme, il lui massa doucement la nuque et redescendit progressivement vers son épaule jusqu'à effleurer imperceptiblement le bout de son sein.

— Eh, docteur Compton ! protesta-t-elle, sans toutefois arrêter de sourire. Ce n'est pas là que j'ai mal !

Déjà, plusieurs de leurs camarades les avaient

rejoints et faisaient cercle autour d'eux, debout dans l'eau peu profonde de la rivière.

— Ils jouent au docteur ! cria Wolf à Sam, qui arrivait en courant et en éclaboussant tout le monde.

— A mon tour ! A mon tour ! vociféra Sam, dont le nez était, comme à l'accoutumée, recouvert d'une épaisse couche de pommade protectrice. J'ai toujours rêvé de devenir médecin !

— Pas question, répliqua Dennis, en entourant d'un bras possessif les épaules de Clio. Cette dame est *ma* patiente.

Clio hocha la tête en écoutant leurs plaisanteries et tendit à Dennis un petit caillou parfaitement rond et poli qu'elle sortait de l'eau.

— Prenez cet argent, docteur. Maintenant, nous ferions bien de retourner travailler avant que le grand médecin-sorcier qui nous surveille depuis son repère ne nous jette un sort, ajouta-t-elle en désignant Paul une nouvelle fois.

Elle gémit malgré elle quand Dennis l'aida à se relever. Son jean trempé s'était considérablement alourdi, mais elle l'essora de son mieux et parvint à se hisser sur la berge. Dennis la suivit avec le tamis vide. Ils laissèrent derrière eux Sam et Wolf qui faisaient semblant de se battre pour désigner celui qui jouerait au docteur avec Clio la prochaine fois...

Vers le milieu de l'après-midi, une pluie providentielle épargna des efforts supplémentaires à la jeune femme. Elle aida cependant ses compagnons à recouvrir les tranchées de planches de bois et de bâches de plastique.

— Doit-on faire cela à chaque fois qu'il pleut ? s'enquit Clio tout en se débattant avec la lourde bâche que Dennis fixait grâce aux planches.

— Hélas, oui, répondit celui-ci. Heureusement pour nous, il ne pleut pas souvent. Mais quand cela arrive, l'averse est généralement très abondante. C'est pourquoi le professeur exige que nous protégions systématiquement les tranchées, de peur de les voir inondées.

Ils eurent juste le temps de fixer la dernière bâche avant que la pluie ne se transforme en un véritable déluge. Tout le monde courut s'abriter, et seule Clio n'eut pas l'énergie de se presser. Elle regagna lentement sa tente, sous la pluie battante. Elle constata en arrivant qu'elle avait oublié de rabattre les pans latéraux et que son lit était déjà mouillé. Une fois la tente fermée, elle se déshabilla, se sécha et enfila son peignoir.

Par chance, elle s'aperçut que seul un coin de son duvet était réellement trempé. Elle l'ôta du lit et se pelotonna entre les draps, trop heureuse que la pluie l'ait un peu épargnée.

L'averse avait cessé et il faisait presque nuit quand elle fut réveillée par la voix d'Edgar.

— Clio, vous allez bien ? cria-t-il du dehors.

— Oui, merci, répondit-elle. Entrez donc.

Il souleva la porte de tissu et entra avec un plateau de nourriture.

— Nous avons regretté votre absence au dîner. Etes-vous capable d'assister au cours de ce soir ?

— Oh, mon Dieu ! s'exclama-t-elle. Heureusement que vous m'avez réveillée. Je n'aimerais pas que le professeur Nicolas ait encore des reproches à me faire. Ai-je le temps de manger ceci ?

— Oui, ne vous inquiétez pas. Tout le monde n'a pas fini son repas, et les deux professeurs son en train de récapituler ensemble les trouvailles de la journée. J'ai prévenu le professeur Nicolas que j'allais vous apporter un plateau.

— Parfait. Asseyez-vous un peu, Edgar. Vous êtes vraiment gentil de vous occuper de moi ainsi.

— Vous aviez besoin d'un bon somme. J'ai préféré ne pas vous réveiller trop tôt. Quand j'ai vu qu'il allait pleuvoir, j'en ai été soulagé pour vous : cette journée a sans doute été la plus dure. Peu à peu, vous vous habituerez.

— Je l'espère. En tout cas je vais doublement me méfier des coups de soleil, dorénavant. Quant au reste, le professeur Nicolas prétend que je ne vaux guère mieux qu'un fétu de paille. Pourvu qu'il se trompe !

— Un fétu de paille ? Je ne connais pas cette expression, fit Edgar, qui avait encore quelques lacunes en anglais.

Tout en dévorant à belles dents son steack et sa purée, Clio tenta de lui expliquer ce que l'on entendait exactement par « fétu de paille ».

— A mon avis, il a tort, dit gravement Edgar. Je vous comparerais plutôt à une fleur fragile sur sa longue tige, légère, mais tout à fait capable de se plier sous le vent sans se casser. Vous êtes un roseau dans la tempête.

Après ce compliment, il alla l'attendre dehors tandis qu'elle enfilait à la hâte un pantalon sec et un sweat-shirt mauve. Elle brossa ses cheveux encore humides et en fit un chignon serré sur sa nuque.

Ils se dirigèrent ensemble vers les deux grandes tentes. Leurs compagnons s'étaient rassemblés dans celle où se prenaient les repas. Avant d'entrer, Clio se mit sur la pointe des pieds et embrassa Edgar sur la joue.

— Vous êtes un véritable ami, Edgar.

— Oui, nous voilà amis, répondit-il en posant les mains sur ses épaules et en lui rendant un baiser sur le front. Avoir la confiance d'une personne aussi douce et aussi féminine que vous m'aide à moins souffrir de l'absence de celle que j'aime. Merci d'être là, Clio.

Bras-dessus, bras-dessous, ils pénétrèrent sans plus attendre dans la tente principale. Paul semblait les attendre pour commencer. Aussitôt qu'ils furent assis, il se mit à évoquer les découvertes de la journée. Il demanda à Wolf de montrer des fragments de poteries qu'il avait déterrés, et passa en revue les différentes techniques d'identification. Il fit circuler des échantillons typiques de poteries des Indiens des plaines ainsi que d'étonnantes photographies de poteries des Monts Spiro.

Clio était subjuguée. On apprenait tellement de choses des peuples de la préhistoire, en étudiant simplement leurs poteries! Les peintures délicates qui les ornaient racontaient bien souvent leurs légendes et leurs croyances. La complexité de leur culture se déterminait aisément grâce aux techniques employées et aux multiples usages auxquels ces objets étaient destinés. Certaines poteries avaient été fabriquées pour de simples nécessités domestiques, d'autres pour conserver des produits agricoles, d'autres encore pour servir lors des cérémonies.

Quand Paul eut terminé, Yvonne montra des illustrations de poteries découvertes dans de nombreuses ruines incas. Elle ne se priva pas d'affirmer qu'à son avis, les pièces trouvées en Amérique du Nord étaient insignifiantes par rapport à l'art prestigieux produit par la civilisation incas.

Tandis que la belle péruvienne parlait, la pluie se remit à tomber en martelant doucement le toit de toile. Yvonne termina son exposé et Sam se leva pour proposer une partie de poker : le temps interdisait de faire un feu de camp ce soir-là.

Clio s'excusa et s'apprêta à regagner sa tente le plus vite possible pour éviter de mouiller une fois de plus ses vêtements.

D'un bond, Dennis fut près d'elle.

— Vous allez vous salir les pieds, gente dame, fit-il d'un ton malicieux.

— J'en ai peur, en effet, mais comme je ne dispose pas d'un tapis volant, je n'ai pas le choix.

— Mais si, voyons. Vous oubliez la galanterie !

Sans lui demander son avis, il souleva alors Clio de terre et l'emporta à grandes enjambées vers sa tente. La jeune femme craignait d'être un peu ridicule, car tous les autres les regardaient, mais Dennis la tenait fermement dans ses bras, et il lui rendait un service indéniable dans l'état où elle se trouvait.

Il la déposa quelques secondes plus tard sur sa couche et s'agenouilla près d'elle. Clio discernait à peine son visage dans la pénombre.

— Puis-je encore vous être utile, Lady Clio ? dit-il en s'inclinant pour rire.

— Non, merci, beau chevalier. Ce sera tout, répondit-elle en entrant dans son jeu.

Mais avant de partir, il la reprit brusquement dans ses bras et embrassa voluptueusement ses lèvres entrouvertes par la surprise.

Avant qu'elle n'ait eu le réflexe de le repousser, il la relâcha et murmura :

— C'est le premier d'une longue série. Dormez bien, ma belle.

Et il disparut dans la nuit.

Abasourdie, la tête sur l'oreiller, Clio comprit soudain que Dennis allait lui poser de sérieux problèmes. Pourtant, elle ne pouvait s'empêcher d'avoir de la sympathie pour ce garçon présomptueux. Visiblement, il adorait les femmes. *Toutes* les femmes...

La sieste de l'après-midi n'empêchait pas Clio de tomber de fatigue. Après sa nuit mouvementée et la dure journée de labeur, elle était prête à sombrer de nouveau dans un sommeil réparateur. Elle alluma sa lanterne pour se déshabiller et lire quelques pages d'un magazine dans son lit, jusqu'à ce que ses yeux se ferment d'eux-mêmes. Ainsi, elle était certaine que l'obscurité lui apporterait un repos immédiat, et qu'elle n'aurait pas le loisir de penser à Paul Nicolas.

En se réveillant le lendemain matin, Clio sentait toujours ses courbatures, bien qu'elles se soient atténuées. Elle avait encore la peau des épaules et des jambes rouge et brûlante, mais un troisième mal s'était ajouté aux deux premiers : elle mourait de faim. Elle n'avait presque rien mangé la veille, et son estomac le lui criait avec véhémence. Les effluves délicieuses d'œufs au bacon et de café qui parvenaient à ses narines la firent bondir hors de son lit pour s'habiller aussitôt.

En traversant le campement, elle vit une grosse voiture jaune appartenant à une firme de travaux garée près des deux tentes centrales. Elle indiquait la présence d'un visiteur matinal.

Dans la tente-salle à manger, Paul était en grande conversation avec un jeune homme en Levis, en chemise et en bottes de cow-boy. Sa silhouette filiforme, son habillement et la couleur rousse de ses cheveux, contrastaient totalement avec le physique du beau professeur qui ne portait qu'un short délavé et effrangé, et son habituelle veste de daim sans manches. Ils consultaient ensemble des documents étalés sur la table, et ne prêtaient pas attention à l'arrivée des divers membres de l'équipe qui venaient déjeuner.

Au bout d'un moment, pourtant, Paul se leva et présenta le visiteur au groupe.

— Voici Larry Jarvis, de la Firme de Construction Jarvis, à Tulsa, dit-il un peu sèchement. Il a signé un contrat avec l'Etat pour bâtir le pont de la Fourche Maline.

L'ingénieur des ponts et chaussées salua tout le monde d'un signe de tête, et suivit son hôte vers la tente voisine pour aller chercher à son tour un plateau de petit déjeuner. Manifestement, leur entretien n'était pas terminé.

De retour avec leur repas, les deux hommes vinrent s'asseoir à la table où se tenaient Clio et deux des étudiants péruviens. Paul fit les présentations et mangea en silence. Comme les deux Péruviens parlaient mal l'anglais, Clio se sentit obligée d'assurer la conversation avec l'ingénieur.

Jarry était un garçon doux et sensible, aux yeux gris pleins de mélancolie. Il apprit à Clio qu'il avait pris la direction de la firme familiale à la suite d'une attaque cardiaque de son père. Il avait abandonné ses études supérieures pour permettre à la compagnie de fonctionner pendant la maladie de son père.

— J'ai pris connaissance du problème de la Fourche Maline très récemment, expliqua-t-il. La société des autoroutes m'avait laissé entendre que je pourrais démarrer les gros travaux au bulldozer sur la falaise dès le premier juillet, et couler le premier pilier du pont de ce côté-ci de la rivière avant la fin de l'été. J'ai été très surpris d'apprendre l'existence de ces fouilles archéologiques.

Paul se mêla peu de la conversation. Bien que les deux hommes fussent polis, il existait visiblement entre eux un conflit d'intérêt où les engageaient leurs professions respectives. Ils avaient chacun des vues totalement différentes sur la Fourche Maline.

D'après ce que le professeur Nicolas avait expliqué en cours, les conflits entre les archéologues et les entrepreneurs de travaux publics ne dataient pas d'hier. Dans la plupart des états d'Amérique, les fouilles archéologiques avaient légalement la priorité sur les routes, les ponts, les pipelines, bref, sur tous les projets susceptibles de recouvrir un site archéologique et de le rendre inaccessible à une exploration future. Dans l'Oklahoma, comme dans d'autres états, il existait une commission officielle chargée d'examiner tous les terrains choisis pour construire des routes, ou des lacs artificiels. Cette commission devait déterminer l'éventualité de richesses archéologique, et ensuite décider si le site était suffisamment important pour être exploré avant que l'on permette aux travaux de commencer.

Paul avait expliqué que, dans la pratique, les rapports de ces commissions étaient souvent ignorés. Habituellement, si un projet immédiat d'exploration n'était pas déposé, la construction envisagée suivait son cours. Mais les commissions archéologiques, légalement, détenaient le pouvoir de suspendre les travaux pour des périodes limitées — à condition, bien sûr, que des crédits soient débloqués et les fouilles effectivement mises en œuvre.

Quand Paul Nicolas avait appris que le projet de construction d'une autoroute entre Tulsa et Shreveport, en Louisiane, menaçait le site non encore exploré de la Fourche Maline, il connaissait déjà les richesses potentielles de ce site. Il avait pu obtenir un financement modeste pour effectuer des fouilles durant les mois d'été, et la commission archéologique d'état avait notifié à la société des autoroutes la suspension temporaire des travaux sur le tronçon qui concernait le site.

Clio se demanda si Larry était venu espionner le camp « ennemi », ou s'il essayait d'avancer la date où il pourrait reprendre l'ouvrage.

Les membres de l'équipe commençaient déjà à rapporter leurs plateaux vides à Cookie et à gagner l'aire des fouilles à travers champs. Clio s'excusa et se leva à son tour. Larry l'imita immédiatement, mû par une galanterie quelque peu déplacée dans cette salle à manger improvisée.

— Restez assis et finissez de déjeuner, je vous en prie, lui dit Clio. Les bonnes manières ne sont pas de mise ici.

— En effet, ajouta Paul avec une note d'ironie dans la voix. Nous essayons de traiter Clio comme ses camarades de sexe masculin.

La jeune femme tourna les talons sans autre commentaire, sans avoir vraiment compris la remarque de Paul. Essayait-il de la ridiculiser ? Ou bien faisait-il simplement allusion à l'aide qu'il lui avait apportée deux nuits plus tôt, lorsqu'elle avait été malade ?

Tout le monde était en plein travail quand Paul apparut sur le chantier de fouilles en compagnie de l'ingénieur. Les deux hommes s'arrêtèrent au-dessus de la tranchée dans laquelle Clio s'efforçait d'extraire une grosse pierre de la terre amassée là depuis des siècles. Larry s'agenouilla au bord du trou et s'enquit pendant quelques instants du travail de la jeune femme. Elle répondit à ses questions de son mieux, et Paul se contenta d'écouter ce qu'ils disaient sans intervenir.

— Vous ne ressemblez guère à une archéologue, remarqua innocemment Larry.

— Les apparences sont parfois trompeuses, répliqua Clio en évitant de regarder Paul.

— C'est vrai, admit Larry, mais cette vie me paraît bien rude pour une jeune demoiselle telle que vous.

La main en visière pour se protéger du soleil qui l'éblouissait, Clio considéra un instant le visage amical et souriant de l'ingénieur. Manifestement, il n'avait aucune intention d'être désagréable. Il s'intéressait simplement à ce qu'il voyait. Mais quand elle tourna les yeux vers Paul, et surprit son sourire ironique, elle fut piquée au vif. Il semblait lui dire : vous voyez bien, je ne suis pas le seul à penser que vous n'êtes pas à votre place ici.

Clio se leva et jeta d'un geste excédé sa truelle dans la tourbe qui bordait la tranchée.

— Ecoutez, monsieur Jarvis, dit-elle. J'ai déjà entendu cela plusieurs fois. Je n'ignore pas que pour vous, les hommes grands et forts, pour qui la valeur se mesure au volume des muscles, je serais bien plus heureuse devant une machine à écrire ou un évier, mais je préfère être ici, ne vous en déplaise !

— J'ai dû toucher une corde sensible, s'excusa

Larry d'un air embarrassé. Pardonnez-moi, je ne mettais pas en doute vos capacités, Miss.

La sincérité navrée évidente dans le regard du visiteur fit tout de suite regretter à Clio son esclandre. Les deux hommes s'éloignèrent et elle n'osa pas les suivre pour s'excuser à son tour. Déjà, ils étaient rejoints par Yvonne et discutaient avec elle. Debout à côté de Paul, la Péruvienne avait passé son bras autour de sa taille.

Quand Cookie sonna enfin la cloche du dîner, signal de l'arrêt du travail, Clio remarqua avec surprise que la voiture jaune de Larry Jarvis était revenue au camp.

En s'approchant de la tente-salle à manger, elle aperçut l'ingénieur assis dans la pénombre. Il lui fit un signe de la main et se leva pour venir à sa rencontre.

— Bonsoir, lança-t-elle. Que se passe-t-il ? Vous cherchez encore le professeur Nicolas ? Il ne va sûrement pas tarder.

— En fait, répondit-il, c'est vous que je voulais voir.

— Moi ? s'étonna Clio. Pourquoi ?

— Eh bien voilà : je crains d'avoir eu des propos un peu désobligeants ce matin, et je voulais m'en excuser.

— C'est gentil, mais c'est plutôt à moi de m'excuser pour vous avoir si mal répondu. Vous ne pouviez pas deviner que j'étais susceptible sur le sujet.

Ils s'arrêtèrent sur le seuil de la tente, et Larry tendit la main à Clio, d'un geste hésitant.

— Nous sommes amis ? dit-il.

— Bien sûr, répondit-elle en lui serrant la main.

— Dans ce cas, accepteriez-vous de sortir avec moi ? Je vous invite au cinéma et peut-être à manger un hamburger. Il n'y a pas grand-chose à faire, par ici.

— Bonne idée, acquiesça spontanément Clio. Seulement, pas avant vendredi ou samedi soir. Nous ne sommes pas censés sortir en semaine.

Il sembla satisfait de sa réponse. Il serra encore la main de la jeune femme avec un sourire gauche et timide d'adolescent, et repartit.

En regardant démarrer le véhicule, Clio se demanda si elle avait eu raison d'accepter l'invitation. Plusieurs fois déjà, elle était sortie avec des hommes à l'air timide et doux, qui s'étaient avérés être tout le contraire. Surtout dès l'instant où ils avaient appris qu'elle n'était pas aussi jeune qu'elle en avait l'air et qu'elle avait déjà été mariée...

Si elle ne sortait avec Larry qu'une fois ou deux, elle pourrait aisément éviter de parler de son divorce. Jusqu'alors, personne n'était au courant dans l'équipe. Non, qu'elle en ait honte, mais elle craignait que les garçons ne changent d'attitude envers elle. A part peut-être à Edgard, elle avait décidé ne pas en parler.

Une averse nocturne avait lavé le paysage quand Clio émergea de sa tente, le lendemain matin. Avec les pluies récentes, la rivière était plus grosse que lors de son arrivée, et la rumeur de son cours plus impétueux s'était amplifiée, de sorte que les oiseaux semblaient eux aussi chanter plus fort pour célébrer dignement ce jour nouveau.

Clio inspira profondément l'air frais. Elle se sentait beaucoup mieux, à présent. Ses muscles s'habituaient aux efforts répétés et ses coups de soleil étaient guéris, bien qu'elle ait commencé à peler affreusement.

En passant devant la tente de Paul, elle le rencontra et fut gratifiée d'un « bonjour » plutôt neutre.

Malgré ses bonnes résolutions, Clio fut une nouvelle fois troublée par sa présence. Son pouls s'accéléra. Sans doute cet éminent professeur l'impressionnait-il. Elle craignait encore qu'il la renvoie chez elle, et ses résultats universitaires de tout l'été dépendaient uniquement de l'opinion qu'il aurait d'elle et de la contribution qu'elle serait capable d'apporter au projet. Elle avait toujours eu la même appréhension quand elle rencontrait ses professeurs à la faculté. Mais avec Paul, un autre sentiment venait s'y ajouter. Cela était dû à l'homme lui-même. Il ne ressemblait à aucun de ceux qu'elle avait connus auparavant, et il l'attirait irrésistiblement, bien malgré elle.

Paul avait gardé les traits les plus nobles des deux peuples dont il était issu : les Indiens et les Caucasiens.

Ses yeux bien espacés dominaient un visage aux traits d'une force presque brutale. Sa mâchoire carrée et ses pommettes hautes étaient purenent indiennes. Mais son nez aquilin et son menton volontaire auraient pu servir de modèle à une statue romaine. Ses mouvements avaient la grâce et la précision de ceux d'un fauve aux aguets. Il faisait peur à Clio en même temps qu'il l'attirait, deux sentiments contraires qu'elle dominait mal.

Elle risqua une banale réflexion sur le temps, ne sachant que dire de mieux. Mais le professeur n'avait que faire de ses banalités.

— Je vous ai observée hier en compagnie des garçons de l'équipe, dit-il d'un ton accusateur. En particulier avec Edgar et Dennis.

— Oui ? fit bêtement Clio, sans comprendre le sens de sa remarque.

Il croisa les bras sur sa poitrine, comme pour mettre en valeur sa puissante musculature.

— Je ne sais pas à quoi vous jouez, Miss Marshall, mais je ne veux pas que des conflits éclatent au sein de mon équipe, à cause d'une seule étudiante.

— Vous insinuez que j'essaie de semer le trouble ? demanda-t-elle, incrédule.

— Je pense que vous vous amusez à collectionner les aventures, en effet. Je vous ai même vue flirter avec l'ingénieur des autoroutes ! Vous avez déjà séduit Dennis et Edgar, et vous aurez les autres sans difficulté, si je vous laisse faire. Il n'y a pas de place sur un site archéologique pour une fille facile. Cela ne peut nous apporter que des ennuis. Notre projet demande concentration et entente harmonieuse.

C'est pourquoi je vous prie de bannir de telles attitudes... ou de partir.

Clio fut incapable de trouver immédiatement les mots pour répondre.

— Vous n'avez pas le droit de m'accuser ainsi. Je ne vous ai causé aucun « ennui », et cela n'arrivera pas. C'est de la diffamation !

— Peut-être, admit-il, mais je prends note de vos bonnes résolutions.

Tremblante de rage, Clio le regarda s'éloigner sans elle vers la tente principale. Il l'avait traitée de fille facile, tout simplement parce qu'elle se liait volontiers et qu'elle ne dédaignait pas de chahuter avec les garçons.

Manifestement, Paul Nicolas ne cherchait qu'à lui nuire et à la décourager. Mais elle ne lui donnerait pas cette satisfaction. Même si c'était de l'entêtement, elle désirait fermement rester. Elle ne lui offrirait aucune occasion de l'attaquer, car elle aimait cette rivière sauvage et ce site chargé d'histoire. Elle voulait contribuer aux travaux de fouilles au même titre que tous ses compagnons, parce qu'elle avait soif d'apprendre. Quel dommage que l'homme qui aurait pu tout lui enseigner veuille tellement son départ !

Mais tant pis. Il ne reconnaîtrait sans doute jamais sa valeur, mais elle lui prouverait au moins combien elle était tenace et intrépide... peut-être même davantage qu'Yvonne De Silvestro !

Chapitre 5

Comme les jours passaient, Clio se rendit compte que la belle Yvonne De Silvestro était aussi âpre au travail que Paul lui-même. Les deux professeurs semblaient infatigables et attendaient de leurs étudiants les mêmes efforts.

Cependant, malgré son indéniable professionnalisme, Yvonne ne manquait pas une occasion de critiquer le site de la Fourche Maline. Elle considérait apparemment que les sites nord-américains étaient tous insignifiants par rapport aux fameuses ruines incas d'Amérique du Sud.

Clio ne comprenait pas pourquoi la Péruvienne avait effectué un si long voyage jusqu'en Oklahoma, si elle méprisait tant le projet. Elle questionna Edgar à ce sujet un matin en se mettant au travail. On les avait en effet désignés tous les deux pour fouiller la seule tranchée située dans le plus petit des cinq remblais, et aussi le plus érodé, au bord de la rivière.

— Le professeur De Silvestro est très ambitieuse, dit Edgar. Elle vise une promotion pour l'an prochain, et si elle l'obtient, elle sera le plus jeune professeur en chaire à l'Université. A mon avis, ce voyage ne lui sert qu'à compléter sa formation en vue d'obtenir son titre. Jusqu'à présent, elle n'avait travaillé qu'au Pérou. Elle avait besoin d'ajouter quelques expériences en dehors de l'Amérique du Sud à son curriculum vitae.

— Avez-vous été déçus quand elle vous a annoncé qu'elle vous emmenait ici ? demanda Clio, sans lever les yeux de la curieuse pierre qu'elle était en train de gratter.

— Non, pas vraiment. Pour ma part, je ne fais que débuter, et j'ai beaucoup de choses à apprendre. D'ailleurs, le professeur De Silvestro est peut-être amoureuse des ruines incas, mais il faut bien avouer qu'au Pérou nous avons beaucoup plus de sites de l'importance de celui-ci que de somptueux vestiges de brillantes civilisations. Je crois que nous avons tout intérêt à nous intéresser à tous les aspects de la préhistoire, et pas seulement à l'infime minorité de gens qui ont bâti des cités légendaires et fabriqué des bijoux en or.

— C'est aussi mon avis, acquiesça Clio en continuant à dégager la pierre longiligne avec une cuillère cabossée. Mais je suppose qu'Yvonne aspire à devenir mondialement connue ; elle aurait dû pour cela choisir un site plus prestigieux : en Egypte, par exemple.

— Oui, mais l'Egypte sans Paul ne l'intéressait pas, remarqua malicieusement Edgar. Car tout l'attrait de la Fourche Maline est un certain professeur aux origines cherokee.

— Ils forment vraiment un beau couple, admit Clio, d'un ton qui fit froncer les sourcils à Edgar.

— Aurais-je perçu un peu d'amertume ? demanda-t-il. Non ?

— Oh, mon Dieu, non, affirma-t-elle. Je suis simplement intriguée par ce que je viens de déterrer. Je n'ai jamais rien vu de tel.

Elle prit un pinceau dans la boîte à accessoires et se mit à brosser délicatement la poussière, puis à gratter avec d'infinies précautions les restes de terre qui collaient encore à l'objet cylindrique. Il était relativement long et arrondi aux extrémités. Cela ressemblait à...

Non. C'était impossible. Il fallait le regarder mieux avant de conclure et de s'enthousiasmer.

Remarquant son excitation soudaine, Edgar s'agenouilla près d'elle et examina sa trouvaille avec attention.

— Oh, Edgar, voyez-vous ce que je vois ?

— Nous allons bientôt le savoir, dit-il. Continuez ainsi, c'est très bien.

Dans un silence religieux, elle gratta encore, millimètre par millimètre. On n'entendait dans la tranchée que ce bruit infime et la respiration retenue des deux amis. De l'extérieur leur parvenaient les sons familiers du site : le grondement de la rivière, les voix de leurs compagnons sur le monticule voisin, les meuglements sourds du bétail qui paissait aux alentours et l'aboiement d'un chien dans le lointain.

Tout à coup, Clio en eut la certitude :

— Oh, Edgar ! C'est bien cela. Regardez : c'est cela !

Devant eux, encore à demi enfoui dans l'argile rouge, émergeait un os humain ! C'était vraisemblablement un tibia d'adulte.

Clio s'assit par terre et le contempla. Les premiers ossements humains... Aucun doute n'était permis. L'exaltation la laissait sans voix.

Ils échangèrent un sourire et Edgar serra solennellement la main de la jeune femme pour la féliciter. Sans un mot, ils s'attaquèrent ensemble au sol environnant de la tranchée. Ils grattèrent précautionneusement mais fébrilement la terre à la recherche du reste du squelette.

D'abord, la pointe d'un bassin ; puis, l'extrémité d'une côte ; enfin, ce fut Edgar qui localisa avec certitude la rondeur d'un crâne humain.

Le visage baigné de sueur et de larmes, Clio était transporté de joie.

— Il vaudrait mieux aller chercher le professeur Nicolas, dit-elle.

— Oui, mais c'est à vous d'y aller. C'est votre découverte, Clio.

— La *nôtre*, corrigea-t-elle. Allons-y ensemble.

Comme deux enfants surexcités, ils bondirent hors de la tranchée et traversèrent le petit creux qui les séparait du mamelon principal, centre des activités ce matin-là. Quand le professeur les entendit appeler, il se redressa et les fixa en fronçant les sourcils. Seul son buste dépassait de la tranchée profonde où il travaillait.

Cette fois Clio ne s'émut pas de l'expression hostile de Paul. Qu'il pense ce qu'il voudra, décida-t-elle en se souvenant de la conversation qu'elle avait eue avec lui quelques jours auparavant, au sujet de ses rapports avec Dennis et Edgar. Elle refusait de modifier son comportement avec ses amis à cause des soupçons ridicules du professeur Nicolas.

— Nous avons quelque chose à vous montrer, lança-t-elle, sans lâcher le bras d'Edgar.

Il se hissa aussitôt hors de la tranchée et les suivit sans poser de question.

— Comme il va être surpris ! murmura Clio à l'oreille d'Edgar. Il croit sans doute que nous sommes en train de lui faire une farce, comme des gamins. Cela se voit à son air.

— Il n'a pas tort : je me sens très puéril, admit Edgar en riant. Mais il nous pardonnera quand il verra Désiré.

— Quand il verra qui ?

— Désiré. Nous l'avons longtemps « désiré », n'est-ce pas, ce squelette ? fit-il, très fier de son jeu de mots.

— J'adore ce prénom, dit Clio, ravie. J'ai hâte de lui présenter ce cher Désiré !

Elle étouffa son rire car ils arrivaient en haut de leur tranchée.

Clio guetta la réaction de Paul quand il aperçut leur trouvaille. Il était debout à côté d'elle et scrutait l'intérieur du trou qui s'ouvrait sous leurs pieds. Ses lèvres s'entrouvrirent légèrement et il laissa échapper un murmure de surprise.

Aussitôt, Paul sauta dans la tranchée et palpa les os apparents l'un après l'autre, comme pour s'assurer qu'il ne rêvait pas.

— Cela a beau m'être arrivé très souvent, déclarat-il, je ne m'habituerai jamais à l'émotion de découvrir un lieu de sépulture : Il sont tellement révélateurs du passé... Espérons seulement qu'il s'agit bien d'un ossuaire et non d'un corps isolé.

Il toucha à nouveau chaque ossement, avec respect cette fois.

— Il y a tant à faire, tant à comprendre !

Il se releva et se tourna vers ses deux étudiants, en protégeant ses yeux du soleil qui déclinait déjà.

— Vous avez fait du bon travail. Si vous êtes d'accord, je vous charge tous les deux de continuer l'exploration de ce secteur. Je vous aiderai moi-même autant que possible.

Le cœur de Clio se serra de bonheur. Il leur avait fait un compliment !

Elle sauta à son tour dans la tranchée avec Edgar et écouta avec attention les explications concernant la suite des opérations. Il fallait étendre le creusage dans plusieurs directions. Pour la première fois depuis son arrivée à la Fourche Maline, Paul ne la critiquait pas, mais il lui donnait des conseils pour un travail de longue haleine. Pour la première fois, enfin, elle se sentait vraiment adoptée.

Quand la cloche du dîner sonna, la jeune femme poussa un petit cri de protestation.

— Cela signifie-t-il que nous n'allons pas travailler davantage ce soir ?

Paul la regarda en souriant à demi.

— Préféreriez-vous vous priver de manger pour rester ici ? lui demanda-t-il.

Elle plongea un instant les yeux dans les siens. Comme ils étaient sombres ! Et si parfaitement encadrés par ses sourcils épais et ses pommettes hautes...

— Je m'en priverais volontiers, en effet, dit-elle. Mais je pense que Désiré sera toujours à sa place demain.

— Désiré ? répéta Paul. Ah, oui. Moi aussi, j'avais baptisé le premier squelette de ma carrière. Il s'appelait Papy. Il m'a beaucoup appris, tout comme Désiré vous apprendra beaucoup.

Edgar terminait de ranger les outils pour la nuit. Il grimpa hors de la tranchée et les regarda d'en haut.

— Eh, tous les deux ! Allez-vous rester longtemps ici à contempler Désiré ? Je vous laisse. J'ai hâte d'aller annoncer notre merveilleuse découverte au professeur De Silvestro.

Ils se retrouvèrent seuls, dans la promiscuité de la tranchée. Agenouillés l'un près de l'autre devant le squelette, leurs hanches se touchaient presque. Le regard intense de Paul captura celui de Clio sans qu'elle comprenne comment. Elle ne savait pas si elle désirait fuir ce regard ou rester sa prisonnière.

Mais Paul détourna les yeux le premier. Ils se levèrent ensemble, mus par la même impulsion. Scrutant le lointain, un instant immobile, il était superbe. Ses doigts jouaient éternellement avec la pépite turquoise qui reposait sur sa large poitrine. Clio fut saisie d'admiration devant tant de beauté imposante et virile. Un tel bijou sur sa chaîne en argent massif était fait pour une poitrine comme celle-là.

D'un geste, il mit la main autour de la taille de la jeune femme et la souleva hors de la tranchée comme une poupée. Elle sentit avec une acuité presque intolérable la pression de chacun de ses doigts dans sa chair. Paul bondit à son tour sur le remblais avec l'aisance d'un tigre et se retrouva face à elle. A nouveau ses yeux faillirent envoûter ceux de la jeune femme. Il tendit la main et repoussa une mèche blonde sur le front de Clio.

— J'aime vos cheveux, dit-il simplement.

Ils n'échangèrent pas un mot de plus tandis qu'ils traversaient la prairie en marchant côte à côte.

Au campement, Edgar avait déjà prévenu tout le monde. On se précipita sur Paul et Clio quand ils pénétrèrent dans la tente principale. Les questions fusaient de toutes parts.

Paul leva les mains pour calmer l'ambiance et annonça avec un large sourire que c'était vrai : les premiers ossements humains du site venaient d'être mis à jour. Il espérait être sur le point de trouver un lieu de sépulture complet.

— Le travail consciencieux et diligent de Clio et d'Edgar a largement porté ses fruits, dit-il en prenant la jeune femme par les épaules pour attirer l'attention sur elle. Ils ont parfaitement préservé le squelette en le déterrant. Tout est encore en place. Ils n'ont rien abîmé. Nous irons tous le voir après le dîner, et je répondrai à vos questions sur place.

Les compliments de Paul comblèrent Clio de joie. Le professeur arrogant s'était transformé en un homme totalement différent. Ses yeux noirs brillaient d'enthousiasme et ses mains étaient chaudes quand il lui serra le bras. Le seul fait d'être à côté de lui dans ces circonstances la rendait fière. Mais il la lâcha dès qu'Yvonne apparut à l'entrée de la tente en compagnie d'Edgar.

— Vous êtes au courant ? demanda-t-il à la Péruvienne en se précipitant à sa rencontre.

Yvonne l'accueillit avec un sourire étincelant qui contrastait joliment avec sa peau mate.

— Oui, Edgar m'a tout dit, fit-elle en ouvrant les bras pour le féliciter. Quelle chance ! A présent nous allons peut-être aboutir à quelque chose avec ce projet. Je commençais à craindre que nous ne nous soyons trompés : le site pouvait fort bien n'être qu'un lieu de passage régulier, pas un véritable village.

Ils se prirent par la taille et se dirigèrent vers la tente-cuisine pour retirer leurs plateaux pour le dîner. Ils semblaient avoir entamé une conversation animée à laquelle les étudiants n'étaient pas conviés.

Le reste de l'équipe affamée ne tarda pas à les imiter et Clio resta un moment à l'écart des autres. Sa joie était soudain tombée comme les voiles d'un bateau oublié par le vent. Elle comprit alors combien son humeur dépendait de l'attention que Paul lui portait — ou négligeait de lui porter. Par malheur, elle se découvrait amoureuse d'un homme pour qui elle n'existait pas. Il n'avait d'yeux que pour la belle Yvonne, son égale intellectuellement, apparemment faite pour devenir sa femme. Même physiquement, on n'aurait pu rêver couple mieux assorti. Ensemble, ils se destinaient sans doute à laisser leur empreinte dans le monde de l'archéologie, comme l'avaient déjà fait par le passé plusieurs équipes d'époux célèbres.

Du reste, Clio tâchait de se convaincre que ses propres sentiments pour le beau professeur étaient purement charnels. Il l'attirait terriblement, mais cela passerait. Dans deux mois, elle rentrerait dans le Nebraska et elle oublierait bien vite ses émotions fugaces comme un trop bel été.

Jusque-là, elle s'efforcerait d'affronter les difficultés comme elle l'avait toujours fait dans sa vie. Le professeur Nicolas n'était pas le centre du monde. Et il devait à tout prix ignorer l'effet qu'il produisait sur Clio Marshall. Par fierté, elle s'interdirait dorénavant toute faiblesse, même celle d'interpréter de façon erronée les gestes de Paul.

Il avait toujours observé une conduite irréprochable avec elle. Leurs seuls contacts physiques étaient dus au travail côte à côte dans la tranchée — mis à part les soins qu'il lui avait prodigués lorsqu'elle avait tant souffert de ses coups de soleil. Et ce soir, il l'avait tenue par les épaules d'un geste paternel, comme il l'avait souvent fait avec les garçons en d'autres circonstances, parce qu'il était fier d'elle. Rien de plus. Le souvenir brûlant que sa peau en gardait n'était dû qu'à la fascination classique de l'écolière pour son professeur. Clio n'avait plus l'âge de ces sottises. Il fallait les oublier, et au plus vite.

Les autres arrivaient déjà dans la grande tente avec leurs plateaux chargés de nourriture et s'installaient autour des quelques tables rondes. Clio se hâta d'aller chercher sa part, bien qu'elle n'ait pas tellement envie de manger.

Cookie semblait pourtant avoir deviné que ce serait un grand soir. Il avait préparé des steak-frites et d'excellents légumes arrosés d'un jus délicieux dont il avait le secret. Toute l'équipe réclama des portions supplémentaires de leur menu favori.

Le cuisinier apporta ensuite un grand plat d'okras frits, et força Clio à en mettre un dans son assiette.

— Je n'aime pas les okras, protesta-t-elle.

— C'est parce que vous ne les avez jamais mangés frits à ma façon, insista gentiment Cookie. Il n'y a qu'ici que l'on sache comment cuire les okras. Prenez aussi des tomates, je les ai cueillies moi-même dans le jardin de ma cousine.

Pour ne pas le vexer, Clio goûta prudemment le beignet doré à souhait.

— C'est vrai, c'est très bon, admit-elle en en reprenant une bouchée.

Cookie la regarda un instant pour s'assurer qu'elle appréciait vraiment son okra, et posa d'autorité une tomate remarquablement rouge, coupée en deux dans son assiette. Il repartit alors vers la cuisine, apparemment satisfait.

Clio se rendit compte finalement qu'elle avait

beaucoup plus faim qu'elle ne l'avait cru tout d'abord. Bientôt, la bonne humeur de ses compagnons fut contagieuse et elle prit part à leur conversation. Tous formaient des hypothèses plus ou moins fantaisistes au sujet de l'âge du squelette et de ses éventuels congénères qui devaient se trouver à proximité. Paul et Yvonne se mêlèrent eux aussi à la discussion animée, mais ils se penchaient souvent l'un vers l'autre pour murmurer des mots qui ne concernaient qu'eux deux. Clio s'efforça de ne pas les regarder et prit la décision de ne pas se gâcher la soirée pour autant.

Ce soir-là, le cours se déroula au sommet de la petite butte au bord de la rivière. Le soleil couchant plongeait la tranchée dans l'ombre et Paul dut utiliser une lampe-torche pour éclairer le squelette. Les étudiants s'étaient assis le long du trou et écoutaient très attentivement ses commentaires sur la position dans laquelle le cors avait été enfoui et son âge vraisemblable. Il donna quelques instructions à Clio et Edgar pour la suite de leurs fouilles et chargea Sam et Dennis de creuser une nouvelle tranchée à angle droit de celle qui existait déjà.

Yvonne fit quelques remarques et donna son estimation de l'âge et aussi du sexe du squelette. Pour une fois, elle n'ajouta pas de détail désobligeant au sujet du site. Pendant qu'elle parlait, Dennis réussit à se glisser à côté de Clio.

— Que diriez-vous d'une promenade au clair de lune cette nuit ? demanda-t-il dans un souffle.

— La nuit, mon cher, je dors, murmura-t-elle.

Taisez-vous, et écoutez plutôt le professeur De Silvestro.

Quand Yvonne eut terminé son exposé, Paul annonça que l'on devait fêter la première découverte importante du chantier. Une caisse de bière avait été préparée par Cookie à cet effet.

A cette nouvelle, Dennis rejoignit sans tarder ses amis, laissant la jeune femme seule avec Paul et Yvonne. Gênée de se trouver là avec les deux professeurs, elle hésita un moment et partit lentement à la suite de ses camarades. Occupés à définir ensemble le tracé des futures tranchées, les archéologues ne semblèrent pas remarquer son départ.

Quand Clio atteignit le campement, les préparatifs du feu avaient déjà commencé. Sam lui offrit une bière et lui apprit qu'il allait « s'habiller » pour l'occasion. Il disparut dans sa tente et revint quelques instants après vêtu d'un tee-shirt de l'université de l'Oklahoma. Il avait en outre ôté la pommade blanche qui recouvrait d'habitude son nez et noué une cravate à rayures rouges et jaunes autour de son cou, malgré le tee-shirt et le jean.

Bientôt tout le monde eut une bouteille de bière à la main. Les garçons entonnèrent le refrain de « Boomer Sooner », l'hymne un peu pompeux de leur faculté. Les pitreries de Dennis et de Wolf, qui mimaient les paroles en chantant, les firent hurler de rire.

Quand Yvonne arriva avec Paul, elle demanda à Edgar d'aller chercher sa guitare. Il la rapporta aussitôt et entonna avec Juan et Miguel une amusante rengaine péruvienne dont le sens échappait à tout le monde mais qui était très rythmée. Yvonne insista ensuite pour qu'Edgar joue une très belle chanson d'amour. Clio connaissait suffisamment l'espagnol pour saisir la poésie de l'histoire qu'elle racontait. A chaque couplet, Yvonne joignait sa voix à celle du guitariste, ce qui rendait plus poignante encore la jolie mélodie.

En regardant autour d'elle, Clio constata que les autres étaient tout aussi sensibles qu'elle à la magie de l'instant. Même ceux qui ne comprenaient pas les paroles de la chanson semblaient envoûtées par sa beauté.

C'était l'heure superbe du crépuscule, où le ciel rougeoyait encore faiblement des dernières lueurs du soleil couchant, tandis que les premières étoiles de la nuit perçaient une à une l'obscurité naissante. Le feu craquait et diffusait une lumière chaude sur les visages qui l'entouraient. Une atmosphère de profonde amitié les enveloppait tous.

Le groupe était uni pour une cause commune, jusqu'à la fin de l'été. L'éloignement du reste du monde ne faisait que rapprocher tous ses membres, dans le sentiment de camaraderie qu'ils partageaient. Clio remarqua que ce soir-là, aucun des étudiants de « passage », qui venaient d'ordinaire pendant deux ou trois jours pour apporter une aide occasionnelle au chantier, n'était au camp. Cela ajoutait à l'ambiance exceptionnelle qui régnait dans le groupe de base. Ils aimaient se retrouver ainsi tous ensemble sans aucune personne extérieure.

La jeune femme n'avait pas vu Wolf s'éclipser un instant dans sa tente pour y chercher son tambour, mais quand il commença à le frapper, le son sourd et rythmique s'intégra parfaitement à la mélodie.

Wolf se mit à chanter, d'une voix profonde et gutturale. Clio ne comprenait pas la langue de son chant, mais le sens lui en parvenait avec une étrange clarté. Il parlait d'un autre temps, d'un autre monde qui n'existaient plus depuis bien longtemps.

Tandis que Wolf chantait, Paul se leva et amorça une danse lente et primitive, exceptionnellement belle.

Clio n'avait jamais vu personne danser ainsi, avec une telle économie de mouvements que chaque geste, chaque pas de ses pieds nus, chaque arabesque de son corps magnifique portaient une force surhumaine, précise et contenue. On se serait cru transporté à une autre époque ; cette lune montante, ce feu vibrant, ces battements de tam-tam et ce grand Indien dont la peau luisante et les yeux noirs reflétaient la lueur radieuse des flammes appartenaient à la nuit des temps.

Sa danse majestueuse était un rituel accompli à la mémoire du passé, des ancêtres, des coutumes anciennes. Cette danse, ce chant, ces battements de tambour semblaient symboliser un noble peuple dont l'histoire était révolue, la grandeur évanouie. Le visage des deux Indiens, Paul et Wolf, exprimait une indicible fierté. Mais aussi, une immense tristesse.

Cependant, le rythme du tam-tam changeait progressivement ; il s'accélérait et appelait une autre danse. Les mouvements de Paul se plièrent à cette demande pressante.

A présent son corps bougeait avec une frénésie presque sauvage. Ses poignets brandissaient des armes invisibles ; ses bras se levaient vers le ciel pour invoquer la victoire. Même le visage de Paul s'était transformé. Le professeur du XXe siècle avait disparu : il avait à présent les traits d'un féroce guerrier. Mais à nouveau le battement s'apaisa, pour donner naissance à une lente mélopée au rythme répétitif, presque sourd. Paul s'arrêta devant Clio et lui prit les mains.

Avant qu'elle n'ait réagi, il la fit se lever et, sans un mot d'explication, guida ses pas. Côte à côte, sans se lâcher les mains qu'ils tenaient croisées devant eux, ils firent le tour du feu à l'intérieur du cercle formé par ceux qui étaient assis.

La proximité de Paul et la chaleur qui se dégageait de son corps accéléra son pouls et l'embrasa tout entière. Il lui faisait l'honneur de la laisser pénétrer dans son monde, et elle en était ivre de joie. Ils étaient unis par la danse et exécutaient lentement et méthodiquement les pas qui rythmait le tam-tam régulier de Wolf.

Peu à peu, les autres se joignirent à eux et les imitèrent, jusqu'à former un large cercle de danseurs autour du foyer. Ainsi, ils communiquaient profondément les uns avec les autres, mais aussi avec ceux qui autrefois avaient exécuté cette danse avant eux.

Quand la danse s'acheva, elle n'était pas prête à lâcher les mains de ceux avec qui elle venait de sceller un pacte secret d'amitié. Elle ne voulait pas que cela finisse aussi vite. Pourtant, le chant de Wolf cessa et son tambour devint de plus en plus doux jusqu'à se taire complètement, laissant à nouveau la nuit aux insectes, aux craquements du feu et au roulement incessant de la rivière.

Clio comprit qu'elle pleurait au moment où les yeux de Paul se posèrent sur elle. Elle essaya de lui dire quelque chose, de lui expliquer pourquoi elle était si émue, mais elle n'osa pas et se détourna brusquement.

Les autres se servaient déjà une seconde tournée de bière. Profitant de la diversion créée par Dennis, qui défiait Wolf à un combat de lutte indienne, la jeune femme s'esquiva en direction de la rivière. Elle alla s'agenouiller près de l'endroit où l'équipe se baignait d'habitude et s'aspergea le visage pour le rafraîchir. Plus que l'émotion provoquée par la danse ou que la chaleur du feu, elle se rendit compte que sa fièvre soudaine était due à Paul. Pendant cette merveilleuse expérience, elle avait été intimement liée à lui, physiquement et émotionnellement. Maintenant que c'était fini, elle était désorientée, presque perdue.

Pourquoi cet homme produisait-il un tel effet sur elle ? Elle aurait dû se contrôler davantage, garder son sang-froid...

Des cris joyeux lui parvenaient à travers la nuit. Elle entendait Edgar défier à son tour Dennis, qui avait apparemment déjà battu Wolf. Dennis était certainement le plus fort de tous, excepté Paul, peut-être.

Quelqu'un grattait la guitare d'Edgar ; le feu pétillait car on venait sans doute d'y jeter une bûche. Elle entendit même le « pop » d'une capsule de bière que l'on ouvrait. Mais par contre, elle ne perçut pas le bruit des pas de Paul sur l'étroit sentier qui menait à cet endroit paisible et retiré. Soudainement, pourtant, elle sentit sa présence derrière elle.

Elle attendit, n'osant pas même respirer. Il toucha ses cheveux. D'abord, ses doigts effleurèrent une mèche égarée, puis ce fut sa main entière qui s'enfouit dans la masse blonde et douce de sa chevelure.

Elle chancela légèrement et ses épaules s'appuyèrent comme d'elles-mêmes contre les jambes de Paul. Elle ferma les yeux, à mi-chemin entre l'extase et l'agonie.

Il continua de promener sa main dans ses cheveux épais dont il avait défait l'attache, et qui flottaient en vagues chatoyantes sur ses épaules. On avait souvent dit à Clio qu'ils prenaient des reflets argentés au clair de lune. Nul doute qu'à cet instant, il était en train de les admirer.

Malgré l'ivresse qui la gagnait, elle songea qu'il fallait prendre une initiative : bredouiller quelques mots ou se lever et retourner vers le feu. Elle se rendait compte que son silence et sa passivité face à cette main qui caressait ses cheveux signifiait pour lui une soumission, un aveu qu'elle s'était pourtant juré de ne pas lui faire.

Cependant, le seul contact de ses doigts sur sa nuque et de ses jambes dans son dos la figeait sur place : il était là, seul avec elle. Une voix intérieure la suppliait de rompre le silence mais cette voix était si lointaine qu'elle semblait appartenir à quelqu'un d'autre. Soudain il lâcha ses cheveux et la tira avec force sur ses pieds ; la voix se fit alors plus distincte et plus impérieuse, mais en vain. Elle ouvrit la bouche pour lui dire qu'elle était venue se rafraîchir le visage et qu'elle allait rejoindre les autres mais avant qu'elle ait pu parler, il posa ses lèvres sur les siennes.

Instinctivement, elle fit une barrière entre eux avec ses bras, mais il l'écrasa contre lui, rendant tout mouvement impossible. Elle tenta alors de détourner la tête mais il captura fermement son menton entre deux doigts et l'embrassa avec une passion redoublée.

Le danger était flagrant à présent, mais Clio avait du mal à rassembler ses esprits. Comment avoir les pensées claires quand elle était ainsi serrée contre lui ? Ses lèvres éveillaient en elle un désir qui menaçait de devenir aussi violent que le sien.

Sachant qu'elle était vaincue, il desserra son étreinte, juste assez pour que Clio puisse glisser ses bras vers son cou et l'enlacer. Libres à présent de leurs mouvements, les mains de Paul parcouraient le corps de la jeune femme, le creux de sa taille, la rondeur de ses hanches, la cambrure de son dos.

Elle fut peu à peu gagnée par un bonheur plus fort que sa volonté. Elle ferma son esprit à toutes les mises en garde et se blottit contre lui, prouvant qu'elle partageait totalement avec lui le besoin impérieux de l'aimer. Elle sentit qu'il la désirait tellement qu'il était prêt à lui faire l'amour ici-même, au bord de la rivière.

Wolf — où peut-être quelqu'un d'autre — avait repris le tam-tam, et leur étreinte se transforma imperceptiblement en une danse étrange et statique, où leurs corps semblaient se fondre l'un dans l'autre à chaque impulsion donnée par la musique.

Il avait à présent les lèvres dans son cou et caressait ses seins. Sous la pression de son corps éperdu, Clio ne résistait plus. Elle désirait cet homme plus qu'elle n'avait jamais désiré personne ; son être tout entier paraissait voué à lui, possédé par lui.

Quand, enfin, il la souleva de terre et l'emporta sur la berge, elle s'abandonna avec délices à son sort. Elle attira à nouveau son visage vers elle, car elle ne supportait pas de quitter sa bouche, fût-ce pour un instant.

Il souleva son tee-shirt et baissa une bretelle de son soutien-gorge ; là seulement, elle accepta qu'il laisse ses lèvres pour un baiser plus doux encore, sur la pointe de son sein. Elle se cambra sous l'onde voluptueuse qu'il provoquait en elle.

Ils n'avaient pas échangé un seul mot. Clio essaya une nouvelle fois de dire quelque chose, de lui avouer que jamais aucun homme n'avait éveillé en elle un tel désir, qu'elle avait l'impression de faire l'amour pour la première fois... Mais les lèvres passionnées de Paul sur sa gorge la rendaient incapable d'articuler la moindre parole cohérente.

Il glissa alors ses doigts vers la fermeture-Eclair du jean de la jeune femme et l'ouvrit. Sur son ventre, il déposa de tendres baisers. Ses mains puissantes enserraient la taille de Clio, dont les reins se cambraient instinctivement pour mieux aller vers lui. Elle était mue par une force irrésistible qui la poussait au-devant de lui.

Elle aurait tant aimé lui parler, exprimer ce qu'elle ressentait, ou, mieux, l'entendre, lui, dire ce qu'il éprouvait !

Mais hélas, ce fut la voix d'Yvonne qui rompit le silence, pénétrant au cœur de leur passion comme un coup de couteau. Elle était là-haut, sur le remblais, et appelait dans les ténèbres.

— Paul, êtes-vous là ?

Quelques pierres roulèrent dans le sentier comme elle s'y engageait. Déjà, Paul avait disparu dans la nuit. Clio s'assit, rabaissa hâtivement son tee-shirt sur sa poitrine à demi nue.

— Paul ? répéta Yvonne. Est-ce que vous êtes en bas ?

— Non, ce n'est pas moi, cria Clio d'une voix rauque.

Prise de panique, elle essaya de se rhabiller correctement. Yvonne arrivait sur la petite plage.

— Que faites-vous ici toute seule ? demanda-t-elle en voyant la jeune femme.

— J'avais chaud, expliqua celle-ci d'un air las. Je suis venue me rafraîchir le visage avec un peu d'eau.

— Vous avez mis un temps fou ! Nous pensions

que vous étiez partie vous coucher. Avez-vous vu
Paul ?

— Oui, il était là tout à l'heure, dit Clio, qui
profitait des ténèbres pour dissimuler sa gêne. Mais il
est parti se promener le long de la rivière.

— Je vois, fit Yvonne, qui semblait en effet
« voir » la situation avec une grande clarté.

Et elle disparut à son tour. A nouveau seule, Clio
s'efforça de rassembler ses esprits. Elle tremblait de
tout son corps, mais cette fois ce n'était plus de désir,
mais d'humiliation. Après cette douche froide, la
passion l'avait brusquement quittée pour faire place à
un sentiment de culpabilité. Il fallait à tout prix éviter
qu'une telle situation se reproduise.

Manifestement, Paul souffrait du même mal
qu'elle. Leur attirance physique mutuelle ne faisait,
hélas, plus aucun doute. Pourtant, c'était sans
espoir : Paul était destiné à vivre avec Yvonne,
depuis toujours, et Clio n'était qu'une intruse, rôle
dont elle n'était pas fière.

Elle retirait malgré tout une certaine satisfaction
d'avoir découvert que Paul n'était pas aussi indiffé-
rent qu'elle l'avait cru tout d'abord. Elle se demanda
froidement si, ayant fait vraiment l'amour avec lui,
ses sentiments auraient été différents à présent.
Serait-elle mortifiée ? rongée de remords ? ou tout
simplement soulagée d'avoir enfin satisfait un besoin
nocif et d'en être débarrassée ? Mais en seraient-ils
vraiment débarrassés ou au contraire encore plus
esclaves qu'avant ? Toutes ces questions demeuraient

sans réponse, car, heureusement, ils n'avaient pas eu
le temps d'aller jusque-là.

Pour ne pas se montrer à ses camarades dans cet
état, Clio décida de longer la rivière sur la courte
distance qui la séparait de la tente d'Yvonne et de la
sienne, qu'elle rejoindrait ainsi par derrière en escaladant la berge. D'après ce qu'Yvonne avait dit, les
autres membres de l'équipe la croyaient déjà au lit,
aussi ils ne s'inquièteraient pas de ne pas la voir
revenir près du feu.

Les garçons s'amusaient toujours autant. Après les
chansons de collège et les chansons d'amour, ils
abordaient, semblait-il, un répertoire quelque peu
grivois. Les paroles s'entendaient clairement dans la
nuit calme. Clio se demanda s'ils avaient déjà épuisé
la réserve de bière. Une chose était sûre, ils auraient
du mal à reprendre le travail le lendemain matin.
Mais ils ne se souciaient pas des maux de tête, et
prenaient du bon temps tous ensemble.

Le bord de la rivière n'était pas d'accès facile
partout, et elle eut quelques difficultés à parvenir au
niveau de sa tente. La végétation était très touffue et
elle dut s'arrêter juste derrière la tente d'Yvonne
pour décrocher ses cheveux pris dans un buisson
épineux. Elle aperçut alors le professeur De Silvestro
au milieu de la clairière, qui marchait dans sa
direction.

Clio recula dans l'ombre, car elle ne voulait pas
reprendre sa conversation avec la belle Péruvienne.
Elle décida de redescendre sans bruit vers la rivière,
pour remonter un peu plus loin au niveau de sa

propre tente. Elle avait la désagréable impression d'être un voleur en fuite. Soudain, la voix d'Yvonne la figea sur place.

— Eh bien, où étiez-vous ? demanda-t-elle à quelqu'un qui se tenait à l'intérieur.

— Je vous attendais, répondit Paul, dont Clio reconnut immédiatement le timbre, grave et profond.

La jeune femme reprit sans bruit sa lente progression vers la rivière. Il ne fallait surtout pas qu'elle soit vue : ils croiraient sans doute qu'elle les espionnait. Elle entendit encore malgré elle Yvonne, très distinctement :

— Que se passe-til, Paul chéri ? La petite dévergondée du bord de l'eau vous aurait-elle refusé ses faveurs ? Pourtant, vous savez, elle les accorde à n'importe qui.

Clio trébucha sur un rocher et tomba à genoux. Une douleur aiguë la transperça mais elle se releva, pour fuir au plus vite le son horrible des paroles d'Yvonne.

Chapitre 6

Nul doute que le sommeil serait long à venir. Clio était enfin parvenue à regagner sa tente, et s'était glissée sans bruit sur son lit de camp. La journée avait été harassante, tant physiquement que moralement. Elle avait atteint plusieurs fois des sommets de bonheur et d'extase, d'abord en faisant cette magnifique découverte archéologique, puis en la fêtant autour du feu avec ses compagnons, et enfin, bien sûr, lors de sa rencontre passionnée avec Paul au bord de la rivière. Mais à chaque fois la chute avait été plus dure, et malgré les heureux événements, Clio se retrouvait triste et fatiguée.

Bien que le fait de laisser tomber les fouilles au beau milieu de l'été soit pour elle inconvenable, elle envisagea même cette solution. Le temps de faire ses valises, elle pourrait demander à Cookie de la conduire en ville avant que les autres ne soient levés. Ainsi, elle ne reverrait plus jamais Paul.

Mais le chantier était déjà trop avancé pour qu'un remplacement soit possible. Chaque membre de la petite équipe était indispensable au succès du projet, surtout s'il était question d'obtenir un délai pour la destruction du site, en vue de la construction de l'autoroute. Et malgré les prévisions de Paul, Clio s'était montrée au moins aussi efficace que ses camarades garçons. Personne ne pouvait nier qu'elle avait largement compensé sa faiblesse physique en travaillant d'arrache-pied et en mettant à profit son intuition et ses connaissances. Elle avait à présent conscience de son engagement à part entière dans le projet lui-même, mais aussi au sein du groupe des autres chercheurs qui, si elle partait, devraient inévitablement assumer les tâches qu'elle abandonnerait.

Malgré sa relation désastreuse avec Paul Nicolas, son expérience sur les rives de la Fourche Maline restait l'une des plus riches de sa vie. Elle ne s'était jamais sentie aussi bien intégrée à un groupe ni aussi intimement liée à des camarades.

Il fallait tenir jusqu'à la fin de l'été. Il y aurait forcément d'autres bons moments, d'autres moments difficiles aussi, sans doute. Mais elle apprendrait d'une façon ou d'une autre à maîtriser ses sentiments vis-à-vis de Paul. D'où lui venait donc ce désir irrésistible qui la poussait vers lui ? N'était-ce vraiment qu'une attirance physique ? Dans ce cas, pourquoi s'émouvait-elle autant quand il la félicitait pour son travail ? Et pourquoi était-elle aussi fière d'avoir dansé avec lui à la fête de ce soir ?

Paul s'était disputé avec Yvonne. Elle était furieuse qu'il ait choisi Clio pour danser avec elle.

— As-tu songé une seconde à ce que les autres ont pu penser de moi ? l'accusait-elle.

— Qu'est-ce que cela peut bien te faire ? essayait-il d'expliquer. Nous avons dansé ensemble des dizaines de fois. Pour Clio, c'était une expérience nouvelle. J'ai voulu lui faire plaisir, voilà tout.

Mais tout en parlant, Paul avait douté du sens même de ses paroles. Etait-ce vraiment tout ? Comment avait-il pu oublier Yvonne et tous les autres qui le regardaient tandis qu'ils évoluaient autour du feu ? Pendant un moment, plus personne n'avait eu d'importance pour lui. Seule avait compté cette jeune femme blonde au prénom de muse grecque. Ils avaient partagé un instant privilégié. Clio l'avait ressenti, elle aussi. Il l'avait vu sur son visage. Jamais il n'oublierait l'expression de son visage !

— Ma parole, cette petite étudiante aime vraiment les hommes, dit Yvonne avec dédain. Elle s'amuse même à séduire son professeur. Mais peut-être est-ce la mode chez les jeunes Américains et leurs enseignants ? Cela t'arrive-t-il souvent d'avoir des aventures avec tes étudiantes, Paul chéri ? Je vous ai interrompus tout à l'heure près de la rivière, n'est-ce pas ? Vous aviez l'air de bien vous amuser, à en juger d'après la mine de cette chère Clio Marshall...

Paul était parti. Il ne voulait pas se disputer avec Yvonne. Et elle disait trop la vérité pour qu'il lui réponde calmement. Il avait largement dépassé les bornes avec Clio.

Clio. Désormais ce nom ne sonnait plus faux à ses

oreilles. C'était *son* nom. Il évoquait le chant d'un oiseau magique, le bruit cristallin de l'eau sur les rochers. Il était présent partout, et il n'y avait pas moyen d'échapper à sa musique.

Pourquoi diable l'avait-il suivie jusqu'à la rivière ? S'il avait pu réfléchir une seule seconde, il se serait rendu compte que cela ne pouvait que mal finir ; mais il n'avait pas supporté que le charme soit rompu. Il aurait aimé que la danse et le battement du tambour ne s'arrêtent jamais. Il voulait garder cette femme blonde à ses côtés, avec ses yeux limpides et ses cheveux dorés qui reflétaient la lueur des flammes, avec sa peau si douce qui mettait le feu à la sienne dès qu'elle l'effleurait.

Il marcha droit devant lui, contourna les buttes et descendit au bord de l'eau. Il s'égratignait la peau aux branches basses mais s'en rendait à peine compte. Soudain, il comprit avec douleur qu'il était dans le même état que par le passé. Pire, même — une fois déjà une femme aux cheveux pâles lui avait enseigné la passion. Elle avait été comme un beau papillon, incapable de rester bien longtemps à la même place. Mais durant la brève période où elle s'était posée sur son âme, il avait eu la certitude d'être vivant. Il avait vécu plus pleinement que jamais. Jusqu'à ce soir.

Ce soir il était tombé dans un gouffre de vulnérabilité, mais cela ne devait plus se reproduire. Il allait être objectif. Il allait faire le choix le plus sage. Il ne laisserait plus son cœur dominer sa raison. Il ne voulait plus être blessé !

Pourquoi était-il inexorablement attiré par des femmes incapables de lui rendre l'adoration qu'il leur portait ? Etait-ce une maladie qui lui était propre ? Car Clio ressemblait à s'y méprendre à celle qu'il avait aimée, à Claudia. Et cela non seulement pour sa beauté, sa vitalité, mais aussi pour la façon dont elle voyait la vie. Pour elles, vivre était un jeu grandiose et amusant. Les hommes en faisaient partie... *tous* les hommes. Et comme des papillons, elles s'envolaient toujours plus loin.

Le samedi suivant, Clio eut la surprise de voir Larry Jarvis apparaître dans la matinée au-dessus de la tranchée où elle travaillait en compagnie de Miguel, l'un des étudiants péruviens, et d'un troisième fouilleur « temporaire » envoyé pour le week-end par la société d'archéologie de l'Oklahoma. Clio s'excusa et grimpa hors de son trou.

— Etes-vous libre ce soir ? demanda Jarvis d'un air embarrassé.

La jeune femme aurait vraiment préféré faire un peu de lessive et se coucher tôt ce soir-là, mais elle comprit qu'il avait fallu beaucoup de courage au timide jeune homme pour l'inviter à sortir. De plus, Cookie accepterait sûrement de la conduire en ville, le lendemain, pour utiliser la laverie automatique.

— Je crois bien que oui, dit-elle en souriant, et en essuyant la poussière qu'elle avait sur le nez avec le revers de son gant.

— Vous... voulez dire que vous êtes d'accord ? Fantastique ! s'exclama Larry. Mais vous savez, je ne puis rien vous offrir de mieux qu'un film démodé et le hamburger le plus gras de tout le Far West.

— C'est parfait, plaisanta Clio. Je suis vraiment lasse du caviar et de la musique de chambre. Un sandwich et un vieux film feront un délicieux inter-mède.

Elle le retrouva près de la tente principale à huit heures, après avoir enfilé son dernier jean propre et un sweat-shirt décolleté en V. Ses cheveux étaient lavés et flottaient sur ses épaules.

— Vous êtes très belle, fit Larry en l'accueillant.

— Et vous très élégant, répondit-elle en admirant sa superbe chemise style western et ses bottes de cow-boy soigneusement cirées.

Malgré les hamburgers trop gras et le film médio-cre, Clio apprécia la compagnie du jeune homme mince aux grands yeux gris et tristes. Tandis qu'ils mangeaient leurs sandwichs et buvaient des sodas après le cinéma, elle apprit que Larry était lui aussi divorcé. Il avait un fils de deux ans qui lui manquait terriblement. Clio devinait qu'il était encore amou-reux de sa femme. Elle l'écouta parler avec sym-pathie, heureuse dans le fond que son propre divorce n'ait pas été aussi douloureux.

Malgré ses intentions premières, elle en vint à avouer à Larry l'échec qu'elle avait elle aussi subi dans son mariage. Cela sembla soulager le jeune homme de rencontrer une âme sœur avec qui parta-ger sa solitude.

Peu après minuit il la déposa à l'entrée du camp endormi. Clio le remercia d'un air un peu guindé pour cette agréable soirée, et lui assura qu'elle sortirait encore volontiers avec lui une prochaine fois.

L'équipe travaillait d'ordinaire le samedi jusqu'à midi, puis disposait du reste de la journée et du dimanche complet pour vaquer à ses occupations personnelles. Parfois, Sam et Dennis partaient passer le dimanche dans leurs familles respectives. Les autres allaient en ville le samedi après-midi pour laver leur linge à la laverie automatique, et boire des milk-shakes dans le vieux drugstore qui existait à Seneca depuis la création de l'état de l'Oklahoma, aux dires de son gérant non moins âgé. Parfois il leur arrivait aussi d'aller en voiture jusqu'à Wilburton, la ville voisine, pour voir un film. Le dimanche, ils écrivaient leur courrier, lisaient, et s'offraient le luxe de faire la sieste.

Pour une fois, cependant, Paul avait octroyé à toute l'équipe un week-end entier de repos. Le site devait être occupé le samedi et le dimanche par des professionnels et des amateurs de la Société d'archéologie de l'Oklahoma, qui commencèrent à arriver dès le vendredi après-midi et à installer leurs caravanes et leurs tentes du côté opposé des remblais par rapport au campement de l'équipe.

Yvonne devait tenir une conférence à Oklahoma City pour la seconde fois. Elle emmena les trois étudiants péruviens avec elle pour leur faire visiter la capitale de l'état. Edgar confia à Clio qu'il avait l'espoir d'acheter un bijou indien pour offrir à sa Margarita.

Dennis, quant à lui, était parti passer le week-end à Dallas, où il était invité à une fête. Il avait même proposé à Clio de l'accompagner, mais n'avait pas été étonné qu'elle refuse.

Les relations de Dennis et Clio s'étaient transformées en un jeu drôle et toujours semblable. Il faisait sans cesse la cour à la jeune femme, qui ne le prenait jamais au sérieux. Clio se sentait un peu comme la grande sœur de cet enfant terrible qui savait se faire aimer de tous. Ils s'entendaient fort bien et une véritable amitié se bâtissait peu à peu sur leurs enfantillages.

Bien sûr, Dennis aurait voulu développer des rapports moins platoniques avec Clio, mais contrairement à la plupart des hommes qu'elle avait connus, il acceptait de bonne grâce sa décision de n'être que son amie et rien de plus. Il avait appris à la respecter en travaillant à ses côtés, même s'il ne pouvait pas s'empêcher de la poursuivre avec ses éternelles plaisanteries de garçon volage. Clio ne s'offusquait plus de ses propositions les plus saugrenues comme : « Prenons le prochain avion pour Venise et marions-nous », ou bien : « Si vous faites l'amour avec moi, je jure de devenir sérieux et sobre. » Le reste de l'équipe savait à présent fort bien que ces bêtises n'avaient aucune importance, mais à plusieurs reprises, les sottises de Dennis avaient provoqué chez Paul une moue désapprobatrice.

Le jeudi soir, Dennis avait accompagné Clio à

Seneca. Elle avait lavé quelques vêtements à la laverie automatique tandis que Dennis faisait des courses et prenait le courrier pour l'équipe. C'était lors du trajet du retour qu'il lui avait proposé de venir à Dallas.

— J'aimerais vous présenter mon père. Je vous jure d'être sérieux : d'ailleurs nous aurons des chambres séparées... Ce serait tellement agréable de faire le tour de Dallas ensemble !

— C'est très gentil, Dennis, répondit-elle en passant affectueusement sa main dans les cheveux blonds et frisés de son ami. Cela me plairait beaucoup, mais je n'ai pas les moyens d'y aller... et ne me dites pas que vous voulez m'offrir le voyage, il n'en est pas question.

— Cela m'ennuie de vous laisser ici avec ces vieillards de la société d'archéologie.

— Ne vous inquiétez pas. J'apprécierai beaucoup de ne rien faire pendant ces quarante-huit heures, affirma-t-elle.

A la dernière minute, Paul lui-même décida de partir pour le week-end, laissant la responsabilité du site au directeur de la société archéologique.

Dès la fin de l'après-midi, le vendredi, le camp fut donc abandonné par les membres de l'équipe. Clio se prépara un sandwich dans la cuisine de Cookie, prit une pomme, un livre, et se dirigea vers la rivière.

Elle ôta son short et plongea dans l'eau fraîche et claire. Elle nagea un moment mais finit par s'ennuyer : il manquait les joyeuses éclaboussures et les jeux auxquels elle était habituée.

Elle se sécha et s'étendit sur le grand rocher plat qui s'avançait depuis la berge, décidée à profiter des derniers doux rayons du soleil. Sa peau était guérie de ses brûlures depuis longtemps, et grâce à des soins attentifs, elle avait acquis un bronzage uniforme. Sa belle couleur cuivrée contrastait de façon saisissante avec la teinte de ses cheveux qui eux, s'étaient encore éclaircis.

Malgré le peu de temps dont elle disposait ici pour se maquiller et prendre soin de son corps, Clio était rayonnante de santé, et se plaisait à constater les effets de la vie au grand air chaque matin dans son miroir. En outre, ses muscles s'étaient raffermis et sa résistance physique développée à un point qu'elle n'aurait jamais osé imaginer auparavant. Sa joie de vivre avait également redoublé, depuis qu'elle habitait en pleine nature, sur les rives de cette merveilleuse rivière aux eaux limpides. Elle se sentait en parfaite harmonie avec l'environnement, et ce bien-être s'exprimait dans tous ses gestes, dans sa démarche, son sourire et ses yeux pétillants. Mise à part la présence de Paul, elle était heureuse d'avoir persévéré et de passer un été comme celui-ci.

Elle dévora son sandwich à belles dents mais décida de garder la pomme pour plus tard. Comme elle avait un peu sommeil, elle n'ouvrit pas son livre mais s'installa confortablement pour se laisser aller à la paresse, ce qui n'était pas dans ses habitudes. Elle plia sa serviette en quatre sous sa tête, en guise d'oreiller, et s'allongea à même la pierre douce et chaude. Comme elle était seule, elle n'avait gardé

que le bas de son bikini pour bronzer plus intégrale-
ment. Elle étala ses cheveux en éventail autour de sa
tête pour qu'ils sèchent plus vite au contact du rocher
et ferma les yeux, goûtant avec délices l'agréable
caresse du soleil sur son corps alangui.

Elle ne comprit pas tout de suite ce qui l'avait
réveillée. Elle resta un instant immobile, consciente
d'avoir somnolé et d'avoir été tirée du sommeil par
quelque chose. Puis elle sentit qu'on lui touchait les
cheveux. Elle ouvrit les yeux, et sursauta en aperce-
vant le visage de Paul.

— Vous avez vraiment de beaux cheveux, dit-il,
assis auprès d'elle sur le rocher.

— Vous semblez aimer m'espionner ! fit-elle en
prenant à la hâte sa serviette pour couvrir sa poitrine
et en s'asseyant.

— Non, fit Paul en la retenant par le bras. Vous
êtes belle. Vous devriez être fière de votre corps.

— D'habitude, je m'habille un peu plus quand je
ne suis pas seule, dit-elle en drapant la serviette
autour de son buste comme un paréo. Je croyais que
tout le monde était parti.

— Et moi, je vous croyais à Dallas avec Dennis.
J'ai cru comprendre qu'il avait des projets bien précis
à votre sujet pour ce week-end.

Clio décela une note de désapprobation dans sa
voix, mais ses yeux sombres étaient impénétrables. Il
portait un pantalon ample et une chemise floue.
C'était la première fois qu'elle le voyait en habits de
ville. En un sens, sa tenue de chantier, jeans ou
shorts effrangés et gilet de daim à même la peau lui

allait presque mieux, mais ce Paul Nicolas était aussi terriblement séduisant. La mise conventionnelle de ses vêtements ne faisait qu'accentuer sa beauté originale.

— Dennis est très bavard, dit Clio, gênée de le sentir si proche d'elle alors qu'elle était à moitié nue.

— Que s'est-il passé ? demanda-t-il d'un ton ironique. Vous vous êtes disputée avec lui ? Dans ce cas, je suis sûr que n'importe quel autre de vos camarades se serait fait une joie de vous emmener en week-end.

— Je n'ai jamais eu l'intention d'accompagner Dennis ou qui que ce soit d'autre. Et vous, pourquoi êtes-vous revenu ?

— J'avais oublié ma mallette. Je me suis arrêté au bas de la route pour discuter avec un propriétaire du site de la rivière Kiame qui devrait être explorée l'été prochain si j'obtiens les crédits nécessaires. Comme je n'étais pas loin, j'ai décidé de revenir chercher les documents sur lesquels j'espère avoir le temps de travailler.

— Et où repartez-vous, à présent ? demanda Clio, partagée entre le désir de bavarder avec lui et celui de le voir s'en aller au plus vite. Je ne vous ai pas entendu parler de vos projet pour le week-end.

— Je vais à Tahlequah, c'est là que vit ma mère.

— C'est loin ?

— A deux heures de route à peine, fit-il, apparemment peu pressé de la quitter.

— Est-ce dans cette ville que vous avez passé votre enfance, à Tahlequah ? s'enquit Clio.

— Oui, en majeure partie. C'est l'ancienne capitale de la nation cherokee, et la population indienne y est très importante, dit Paul en jouant distraitement avec sa pépite de turquoise.

Clio scruta ses yeux noirs et brillants et son beau visage qui rassemblait les traits les plus marquants de deux races si différentes.

— Si vous êtes d'origine cherokee, demanda-t-elle, comment se fait-il que vous portiez un nom français ?

— Les mélanges de sang indien et français sont fréquents en Oklahoma. Dans cet état, les premiers colons étaient français. Je descends de Jean-Pierre Nicolas, qui établit l'un des premiers comptoirs de commerce permanents à l'Ouest du Mississippi et épousa une Cherokee. Elle mit au monde onze enfants, c'est pourquoi il y a beaucoup de Nicolas par ici. J'ai des cousins dans le milieu des affaires, de la politique, de la presse... il existe même une danseuse qui porte ce nom. Récemment, j'ai appris qu'un de mes lointains parents était un gangster redoutable, ajouta-t-il en ébauchant un sourire qui adoucit un instant son expression austère à force d'être belle.

La fraîcheur du soir commençait à tomber. Clio se plaisait à discuter avec Paul mais elle frissonna malgré elle. Elle se frotta les épaules et les bras pour essayer de se réchauffer. Paul se leva aussitôt et lui tendit la main.

— Qu'allez-vous faire à présent ? demanda-t-il en l'aidant à se relever.

— Me laver les cheveux, écrire quelques lettres...

dit-elle, sensible à la chaleur qu'elle ressentait au contact de sa large paume.

Elle ôta vivement la sienne, soudain troublée, et se baissa pour ramasser son livre et sa pomme.

— Pourquoi n'êtes-vous pas partie avec Dennis ? demanda-t-il d'un air de défi, cette fois. Vous n'avez vraiment pas grand-chose à faire ici ce week-end.

— Je m'occuperai. Cela m'est égal d'être seule.

Paul la regarda fixement. Le soleil couchant accentuait la vigueur de ses traits, et donnait à son visage l'aspect du granit sculpté. Clio se demanda ce que devait ressentir Yvonne en promenant ses doigts sur ces contours superbes. Mais la belle Péruvienne l'admirait-elle comme il le méritait ? Lui arrivait-il parfois de saisir ce visage entre ses mains et de l'embrasser passionnément ?

Quand elle se rendit compte du cheminement de ses pensées, Clio devint rouge de confusion. Elle se hâta de grimper sur la berge ; Paul la suivit, et elle sentit qu'il regardait ses jambes nues.

Elle s'arrêta en haut du talus et s'apprêta à lui dire au revoir, mais avant qu'elle ait pu ouvrir la bouche il prit les devants :

— Prenez votre sac, vous venez avec moi.

— Comment ? releva-t-elle, certaine d'avoir mal compris.

— Je ne vous laisse pas ici toute seule, répéta-t-il d'un ton sans réplique.

— Je ne serai pas seule, protesta-t-elle. Les membres de la société ne sont pas loin.

— Ils sont de l'autre côté des monticules, et je ne

veux pas prendre la responsabilité de laisser une de mes étudiantes passer deux nuits seule dans la nature.

— Je vous assure que je me débrouillerai fort bien, ne vous inquiétez pas pour moi.

— Et si un idiot du village décidait de venir vous attaquer ? fit-il d'une voix brutale. Que feriez-vous ?

Clio eut un mouvement instinctif de recul.

— Ou bien imaginez qu'un chasseur vous aperçoive tandis que vous lézardez à moitié nue au soleil, et décide d'attendre la nuit pour revenir vous violer ? Je suis resté moi-même un long moment à vous observer. Et il n'y avait pas de membre de la société aux alentours. J'aurais pu être un sadique, vous savez.

Désarçonnée par ses arguments, Clio balbutia :

— Mais je… je pourrais toujours appeler à l'aide, n'est-ce pas ? Je suis sûre que je ne risque rien. Il ne s'est rien passé de tel jusqu'ici.

— Evidemment, mais vous étiez toujours entourée d'une bande de garçons vigoureux. Cela n'a pas empêché certains hommes de Seneca de vous repérer quand vous êtes descendue en ville. Allons, prenez vos affaires et dépêchez-vous. Si cela continue, je vais être en retard.

La rudesse de son invitation irritait Clio. Il faisait exprès d'exagérer les dangers pour la convaincre. Manifestement, il se faisait un devoir de veiller sur elle, et la considérait sans doute depuis le début comme un fardeau inutile. Après tout, elle était assez grande pour prendre son sac de couchage et aller passer la nuit au campement des membres de la société archéologique. Elle ne voulait en aucun cas suivre Paul chez sa mère comme une enfant incapable de s'occuper d'elle-même.

Mais avant qu'elle n'ait eu le temps de l'arrêter, il se dirigea à grandes enjambées vers la tente de la jeune femme. Quand elle l'eut rejoint en courant, il était déjà en train de sortir une valise de sous son lit.

Il saisit en vrac une poignée de sous-vêtements sur l'étagère d'un des casiers orange.

— Qu'allez-vous emporter ? demanda-t-il en désignant les dentelles bleues et roses qui pendaient entre ses doigts.

— Décidez vous-même, puisque vous êtes si malin, le défia-t-elle en s'asseyant au bout du lit.

Sans se désarmer, il choisit deux slips et deux soutiens-gorge assortis. Il tira ensuite un short de la pile de vêtements soigneusement pliés sur l'autre étagère et décrocha un tee-shirt rose de son cintre. Il ajouta un jean, un pull et son peignoir.

— Où est l'ensemble que vous portiez le jour de votre arrivée ? questionna-t-il.

— Sous le lit, dans l'autre valise, répondit-elle d'une voix feignant l'indifférence.

Paul tira la grande valise et en sortit la jupe bleu marine, le chemisier blanc cassé et les sandales à hauts talons.

Après avoir plié et enfermé les habits dans la petite valise, il s'empara sans hésiter de quelques affaires de toilette rangées dans un casier : une brosse à dents, un tube de dentifrice, une brosse à cheveux et un tube de rouge à lèvres. Puis il regarda Clio.

— Que manque-t-il ? demanda-t-il, très agacé par son manque de coopération.

— Rien du tout, puisque je ne pars pas.

— C'est ce que nous allons voir. Je vous donne deux minutes pour vous habiller et finir de boucler ceci, ou bien je vous emmène telle que vous êtes.

— Vous n'oserez pas ! répliqua-t-elle, furieuse.

Il ferma la valise avec fracas et l'emporta d'un geste violent vers sa voiture. L'instant de surprise passé, Clio le regarda mettre le bagage dans le coffre et revenir vers la tente. Il ne plaisantait pas le moins du monde, car d'habitude on ne discutait pas les ordres de Paul Nicolas. Mais elle n'avait pas l'intention de se laisser entraîner dans un voyage qu'elle n'avait pas prévu et où elle serait sûrement mal accueillie.

Les ripostes verbales qu'elle avait préparées restèrent cependant lettre morte, car Paul la souleva de terre sans plus de façons et la jeta sur son épaule comme un sac de linge sale.

— Lâchez-moi ! ordonna-t-elle avec autant de dignité que le permettait sa position. Lâchez-moi !

Personne ne l'avait jamais traitée ainsi. Son paréo de fortune s'était dénoué et elle se sentait stupide, ridicule et honteusement déshabillée. De plus, elle était totalement à sa merci. Elle se rendit compte combien elle était faible en vérité, mais elle se débattit de toutes ses forces.

— Lâchez-moi immédiatement ! balbutia-t-elle, folle de rage et de terreur.

— Pas tant que vous n'accepterez pas de venir avec moi de votre plein gré, fit-il avec un calme surprenant.

— Vous n'êtes qu'un mufle, lança-t-elle. Une espèce d'horrible mufle !

— On est parfois forcé d'employer des méthodes peu galantes avec des mijaurées de votre espèce.

— Mijaurées ! cria Clio, outrée. Pour rien au monde je n'irai avec vous.

Il la déposa, nue et tremblante, devant la portière ouverte de sa voiture.

— Je maintiens que vous êtes en danger ici et que, de gré ou de force, je dois vous emmener avec moi.

— On ne m'a jamais traitée ainsi. Comment osez-vous croire que j'accepterai de partir avec un homme qui m'a à ce point malmenée ?

Tout en parlant, elle voyait la nuit tomber sur le campement. Ce soir, point de lanternes, point de feu de camp joyeux ni de rires rassurants. Pendant deux jours — et deux nuits — il n'y aurait personne. Bien sûr, les gens de la société pourraient peut-être l'entendre si elle appelait au secours… et si le vent ne soufflait pas trop fort, et si…

Elle savait que Paul la regardait contempler le campement désert. Deux nuits de solitude ! N'aurait-elle pas mieux fait d'aller à Dallas avec Dennis ?

— Vous seriez terriblement seule, réfléchissez, dit Paul d'une voix douce, comme s'il lisait dans ses pensées.

— C'est un fait, admit-elle misérablement. Mais je ne veux pas vous imposer ma présence durant ce week-end, votre mère ne m'a pas invitée. De plus, je n'apprécie pas la façon dont vous m'avez brusquée. Je crois que je vais tout simplement aller m'installer auprès des membres de la société.

— C'est aussi chez moi que je vous invite. Et si j'en suis venu à employer certains moyens un peu… « expéditifs », c'est parce que vous ne voulez rien entendre. Désolé de vous avoir choquée, mais je suis vraiment décidé à vous emmener. Ainsi, vous serez en sécurité. Maintenant, décidez-vous : allez-vous vous habiller ou préférez-vous voyager en bikini ? De toute façon, je ne partirai pas d'ici sans vous.

Clio eut le même sentiment que le jour de son arrivée au camp. Seulement, cette fois, c'était elle qui allait être obligée de céder à l'intraitable professeur.

Toute sa résistance l'abandonnait peu à peu. Sans doute avait-il raison. C'eût été une folie de rester là toute seule. Même si les femmes étaient les égales des hommes, il fallait bien admettre qu'en certaines circonstances, elles étaient parfois plus vulnérables qu'eux.

A regret, elle tourna les talons et lui obéit, comme une petite fille punie par son maître.

Ils gardèrent le silence pendant tout le début du voyage. Consciente d'être prisonnière, Clio ne se força nullement à entamer la conversation, préférant regarder le paysage défiler d'un air absent.

Ce fut Paul qui prit enfin l'initiative de parler, au moment où, dans le crépuscule, la voiture aborda les contreforts d'une petite chaîne de montagnes.

— Ces montagnes s'appellent *Winding Stair Mountains,* dit-il : « L'escalier Tournant ». L'endroit est très joli, surtout en automne, quand les arbres changent de couleur.

De la route sinueuse aux nombreux villages en épingle à cheveux, on distinguait encore assez nettement dans les dernières lueurs du jour, des forêts et des éboulis d'anciens glaciers. Paul s'arrêta sur une aire panoramique et sortit de la voiture. Après un instant d'hésitation, Clio le suivit. Debout l'un à côté de l'autre, immobiles, ils admirèrent le disque flamboyant du soleil qui fondait à l'horizon, derrière des cimes tantôt boisées et tantôt pierreuses. Aucun artiste n'aurait été capable d'imiter les nuances superbes de rose et d'orange qui baignaient ce décor grandiose. La beauté du paysage emplit Clio d'un calme serein. A nouveau, elle se sentait en harmonie avec le paysage... elle en faisait partie, au même titre qu'une modeste fleur ou qu'un rocher sans âge.

Loin devant, un aigle majestueux décrivait avec aisance de larges cercles dans le ciel embrasé. Clio plana un instant en sa compagnie, puis reporta ses yeux sur l'homme qui l'accompagnait.

— Merci de m'avoir montré cela, dit-elle simplement.

Il la regarda et acquiesça d'un signe de tête. Son expression était moins inflexible, mais toujours aussi insondable. Que pensait-il d'elle en réalité ?

La seconde partie du voyage se déroula dans une atmosphère plus détendue. Paul parla de ses projets de fouilles à Kiameche pour l'été suivant, puisque le site de la Fourche Maline serait détruit d'ici là.

— Comptez-vous y travailler personnellement ? demanda Clio. J'ai entendu dire que vous aviez l'intention d'aller en Amérique du Sud aux prochaines grandes vacances.

— C'est une hypothèse. Quoi qu'il en soit, il faudra bien exploiter le site ; et la présence d'un professeur est nécessaire.

Il était un peu plus de neuf heures quand Paul gara la voiture devant une élégante maison blanche aux abords de Tahlequah. Une femme brune ouvrit aussitôt la porte et les attendit en haut du perron.

Hannah Nicolas salua très gentiment Clio quand Paul la lui présenta, mais ne put réprimer une imperceptible réaction de surprise en voyant la jeune femme blonde émerger de l'auto de son fils.

Avant de montrer sa chambre à Clio, Hannah Nicolas lui fit visiter sa demeure presque historique : celle-ci avait été bâtie en 1850 par son arrière-arrière-grand-père, alors chef de la nation cherokee. Depuis, la famille l'avait toujours conservée.

— Mais j'arrête là ma leçon d'histoire. Vous devez être affamés, tous les deux. Comme il est tard, nous dînerons légèrement et sans cérémonie dans la cuisine. Nous fêterons plus dignement votre visite demain soir.

Clio monta rapidement se rafraîchir dans sa chambre, dominée par un superbe lit à baldaquin, et rejoignit Hannah et Paul Nicolas dans la cuisine. Elle dévora à belles dents les toasts chauds et le jambon qu'Hannah mit dans son assiette, et accepta d'être servie une seconde fois. Elle se sentait parfaitement à l'aise dans l'ambiance gaie et chaleureuse de cette cuisine, pleine de livres de recettes et d'ustensiles divers accrochés aux murs. Le contraste était frappant avec celle de tante Sarah, où tout était enfermé à sa place, comme dans une salle d'opération.

Pendant le repas, Clio apprit qu'Hannah était conservateur du musée indien de Tahlequah. En effet, son père avait joué un rôle important dans la politique indienne. La mère d'Hannah, grand-mère de Paul, était blanche.

— Paul a hérité son amour de l'histoire de ma mère, expliqua Hannah. C'était une célèbre historienne. Son manuel d'histoire de l'Oklahoma sert encore dans certaines écoles de la région.

Clio conçut une sympathie immédiate pour cette femme avenante, et admira les bons rapports que cette veuve entretenait avec son fils. Au fil de la conversation, elle se rendit compte qu'Yvonne était déjà venue là plusieurs fois. Hannah devait sans doute se demander pourquoi Paul avait emmené cette fois l'une de ses étudiantes, mais elle n'en laissa rien paraître. Son premier étonnement passé, elle se comporta exactement comme si cette visite inattendue était la chose la plus naturelle qui soit. Paul avait eu raison de ne pas se soucier de n'avoir pas prévenu sa mère, car elle était vraiment hospitalière.

Après avoir bu une tasse de café, Clio monta dans sa chambre. Elle était fatiguée, et préférait laisser par discrétion le fils en tête à tête avec sa mère.

Avant de s'endormir, la jeune femme savoura quelques instants le plaisir de se coucher dans un lit si large et si haut qu'il fallait d'abord grimper sur un petit tabouret prévu à cet effet pour y accéder. Avec son baldaquin de velours brodé et ses montants sculptés, il semblait fait pour une princesse.

Peletonnée entre ses draps, Clio dut admettre en fin de compte qu'elle était heureuse d'être venue. Quel luxe de s'endormir dans une chambre pareille, après avoir pris un bain dans une vraie, grande baignoire ! De plus, la mère de Paul était absolument charmante.

Le lendemain matin, elle fut réveillée par de légers coups sur sa porte. Un instant déconcertée par ce décor étrange, elle se souvint aussitôt de l'endroit où elle était : ici, le baldaquin en velours brodé remplaçait la toile de tente.

Les coups se firent plus insistants et cette fois la porte s'ouvrit. La tête de Paul apparut dans la pièce.

— On sert le petit déjeuner dans un quart d'heure, annonça-t-il.

Clio couvrit ses épaules nues avec le drap.

— Il ne me semble pas avoir dit « entrez », remarqua-t-elle.

Malgré cela, Paul pénétra sans hésiter dans la chambre.

— Nous ne travaillons pas aujourd'hui, mais je ne

vais pas pour autant vous laisser dormir jusqu'à ce soir. Il y a des tas de choses à visiter dans les environs. Sortez de ce grand lit et venez déjeuner.

A travers sa bravade, Clio décela une étincelle taquine dans les yeux sombres de Paul : c'était surprenant de la part du sévère professeur qu'elle connaissait. Elle lui répondit sur le même ton :

— Comment voulez-vous qu'une dame descende de son lit et s'habille quand un monsieur vient de faire irruption dans sa chambre sans y être convié ?

— Vous n'avez plus rien à me cacher, lança-t-il en regagnant la porte.

Il la referma à la hâte, évitant de justesse l'oreiller que Clio avait envoyé dans sa direction.

La jeune femme se leva et enfila un jean. Elle chercha en vain dans sa valise autre chose que le tee-shirt rose que Paul y avait mis. Mais il n'y avait que le tricot qu'elle portait la veille et son chemisier en crêpe, trop habillé. A regret, elle passa donc le tee-shirt rose par-dessus sa tête et étudia l'image que lui renvoyait son miroir. Le vêtement était trop moulant, et elle eut beau tirer sur ses mailles pour les détendre un peu, il soulignait nettement les rondeurs de sa poitrine.

Avec un soupir résigné, elle rentra le tee-shirt dans son pantalon et y ajouta une ceinture. Elle se maquilla légèrement, brossa longuement ses cheveux pour qu'ils brillent davantage encore et les rejeta en arrière en une simple torsade. Elle rejoignit alors Paul dans la cuisine.

— Ma mère est déjà partie au musée, lui dit-il. Le

samedi, en saison touristique, est un jour chargé.
Asseyez-vous, je vais vous préparer à manger.

— Je peux le faire moi-même, protesta-t-elle.

Mais il insista pour lui faire cuire des œufs brouillés
au fromage, et pour les lui servir sur des toasts avec
des airs de maître d'hôtel d'un grand restaurant. Clio
découvrit avec émerveillement cette facette cachée
de son caractère : les plaisanteries de Paul lui rappe-
laient davantage l'humour d'un Dennis que la froideur coutumière du professeur intraitable, que ses
étudiants accusaient parfois — dans son dos — d'être
un meneur d'esclaves.

Tandis qu'elle mangeait en dégustant une
deuxième tasse de café, Paul lui expliqua que Tahlequah était située au cœur d'une région hautement
historique.

— Je vais essayer de vous faire faire un tour
d'horizon complet, annonça-t-il. Mais nous ferions
bien de partir tout de suite si nous voulons être de
retour à temps pour le spectacle et la fête.

— Quel spectacle, et quelle fête ? demanda-
t-elle.

— Vous verrez cela plus tard, dit-il en lui prenant
son assiette et sa tasse pour les déposer sur l'évier.

L'instant d'après, ils roulaient en voiture en direction de l'ouest. Ils s'arrêtèrent à Fort Gibson, le plus
vieux poste militaire de l'Oklahoma. Puis ils reparti-
rent pour visiter, non loin de là, un petit cimetière en
pleine nature, où était enterrée une femme indienne
qui fut pendant quelques années l'épouse du célèbre
général Sam Houston avant qu'il n'aille au Texas.

Impressionnée par l'histoire de la belle défunte, Clio murmura, comme pour elle-même :

— Je me demande si cette femme a jamais regretté de n'avoir pas suivi Houston jusqu'au Texas.

— Personne ne le saura jamais. Mais il est probable qu'elle préférait fonder un foyer ici parmi son peuple. Houston était un aventurier — comme nous autres archéologues. Il semble que nous soyons nés pour courir après nos rêves, dit Paul d'un ton pensif.

— Mon père est un aventurier, lui aussi, fit Clio. Et en effet, il court après ses rêves. Voilà pourquoi j'ai si souvent entendu ma mère dire qu'un foyer n'est pas nécessairement fait de quatre murs solides qui tiennent ensemble année après année. Un foyer, c'est partout où une famille s'aime et existe.

En levant les yeux de la tombe de la femme cherokee, Paul posa un regard circonspect sur Clio. Pendant une seconde, il la fixa intensément. Puis il porta ses doigts vers la chaîne où pendait sa turquoise et tourna brusquement les talons pour se diriger vers la grille.

Attention, se dit-il. N'oublie pas qui elle est. Il se souvint des rapports qu'elle entretenait avec Dennis. Et avec Edgar, aussi, qui était manifestement tombé follement amoureux d'elle. Et comme si cela ne suffisait pas, il y avait cet ingénieur de l'autoroute, Jarvis, qui tournait autour d'elle.

Pourtant, elle était si parfaite à présent ! Elle manifestait une telle curiosité, un tel désir de tout connaître... Elle l'avait surpris plusieurs fois par l'étendue de ses connaissances en histoire. Clio avait l'étoffe d'un vrai chercheur. Et Paul adorait répondre à ses questions et être simplement avec elle. Elle était si brillante, si vivante, si belle !

Il s'était trompé en la jugeant incapable de contribuer aux travaux du site. Elle travaillait dur et son enthousiasme était communicatif. Plus d'une fois, il l'avait vue dynamiser tout le monde au moment où le rythme se ralentissait. Cette femme avait du cran et beaucoup plus de résistance qu'il n'y paraissait. Oui, il s'était complètement trompé à ce sujet.

Mais était-ce possible qu'il ait également mal jugé les autres facettes de Clio Marshall ? Quand il plongeait les yeux dans les siens, il essayait de s'en persuader. Il aurait aimé la garder pour lui seul et ne jamais la ramener dans ce camp plein d'hommes.

Il avait l'impression d'être un adolescent quand il la frôlait en faisant semblant de ne pas l'avoir fait exprès. Pourtant, il ne pouvait pas s'en empêcher. Il désirait tellement davantage que ces contacts furtifs !

Méfie-toi, vieux fou, se dit-il. Souviens-toi que tu n'es plus un enfant. Tu n'as plus besoin de ces sottises. Tu as rationnellement choisi Yvonne pour compagne, car elle est faite pour toi, pour partager ta vie.

Malgré cela, il ne put se retenir de poser la main sur la taille de Clio dans l'espoir qu'elle n'y verrait qu'un geste courtois destiné à l'aider à gravir le raidillon qui menait à la voiture. Hier, la jeune

femme avait escaladé sans peine des tranchées aussi
hautes qu'elle, mais aujourd'hui il saisissait le prétexte de cette pente douce pour la toucher, tout
simplement.

Chapitre 7

De fort Gibson ils se rendirent tranquillement au lac de Greenlief, un ravissant plan d'eau niché au creux de collines richement boisées. Ils déjeunèrent dans une auberge qui surplombait le lac.

Ensuite Paul reprit le volant en direction de la ville de Sallisaw, où se dressait le Sequoyah Memorial, un monument construit en l'honneur de l'inventeur de l'alphabet cherokee. Ils visitèrent également la modeste cabane où avait habité le célèbre Cherokee en 1881.

— Les Cherokees furent la première tribu à posséder un alphabet et une langue écrite, expliqua Paul. Ainsi on a pu faire plus facilement l'éducation de cette tribu et, par conséquent, nous avons disposé de livres et de journaux dans notre propre langue.

La cabane de l'illustre M. Sequoyah, contrastait totalement avec la maison que Clio visita ensuite. Il s'agissait de la demeure d'un certain George Murrel, située au sud de Talhequah. Murrel avait été un grand chef cherokee, et sa maison, comme celle de la

mère de Paul, était un exemple du mode de vie
adopté par certains Indiens prospères par le passé.
Construite en 1884, la bâtisse de style colonial avait
été entièrement restaurée depuis, et conservait une
bonne partie de ses meubles et de ses tableaux
d'origine.

Depuis le matin, la conversation avait surtout
tourné autour de l'histoire. Clio découvrit avec
étonnement que Paul avait, comme elle, commencé
ses études par un diplôme d'histoire américaine. Il
connaissait parfaitement les événements qui avaient
marqué l'état de l'Oklahoma, bien sûr, mais fut
impressionné en bavardant avec elle, de l'étendue
des connaissances de la jeune femme.

Il prenait visiblement plaisir à son rôle de guide.
Faisant halte à chaque lieu marquant, il connaissait
toujours une anecdote à raconter pour donner davantage de réalité aux faits et aux personnes qui avaient
influencé leur époque.

De plus, Paul se montrait extrêmement galant. Il
aidait Clio à monter et à descendre de la voiture, lui
offrait constamment son bras lorsqu'ils marchaient
côte à côte... Ce qui n'avait pas de sens, puisqu'elle
pouvait fort bien se passer de son aide. Il essayait
sans doute de se faire pardonner son comportement
brutal de la veille, mais, quelle qu'en soit la raison, la
jeune femme ressentait une joie indicible à toutes ces
preuves d'attention et à ces contacts physiques. A ses
côtés, elle avait l'impression d'être une reine en
villégiature.

C'était pure folie que de se laisser aller à de tels

sentiments, et elle aurait dû au contraire se raisonner, mais elle préféra repousser à plus tard ses idées
sombres. Après tout, c'était sans doute l'unique
journée de sa vie qu'elle passerait seule avec cet
homme extraordinaire.

Ils furent de retour chez Paul en fin d'après-midi,
après avoir traversé en voiture la ville de Tahlequah
elle-même.

Hannah, occupée à la cuisine, refusa pourtant
l'aide que lui offrit Clio.

— Allez plutôt vous rafraîchir, ma chérie, lui dit-
elle. Nous dînerons dans environ une demi-heure.
Paul veut que nous mangions tôt pour ne pas être en
retard au spectacle.

Clio se doucha rapidement, encore rêveuse après
son après-midi passée avec Paul. Elle passa ensuite sa
jupe bleu marine et son chemisier crème. Le collier
et les boucles d'oreilles qu'elle portait d'ordinaire
avec ce tailleur étaient restés dans sa tente : en se
regardant dans le miroir, elle fut quelque peu déçue
par le manque d'éclat de sa tenue. Pour compenser,
elle ajouta un peu plus de rouge à lèvres et d'ombre à
paupières que de coutume, laissa ses cheveux retomber sur ses épaules et enfila ses sandales à talons
hauts. Elle n'avait pas de collant, mais s'en passait
fort bien grâce à son intense bronzage.

— Mon Dieu, que vous êtes jolie ! dit Hannah en
la voyant entrer dans la salle à manger.

Elle était en train de retirer un couvert de la table,
et expliqua à la jeune femme que le frère cadet de

Paul avait eu l'intention de se joindre à eux mais qu'il venait d'appeler pour se décommander.

— Je lui ai demandé de venir plus tard, si c'était possible, fit-elle. Paul et Frank ne se sont pas vus depuis des mois.

Paul arriva de la cuisine, vêtu d'une chemise brodée au motif indien. Un bandeau de cuir tressé lui serrait le front et maintenait ses épais cheveux noirs. Il lança à Clio un regard admiratif quand il la vit.

— Vous avez à la fois le charme d'une archéologue chevronnée et celui d'une gravure de mode, dit-il en guise de compliment. Mais il me semble que vous portiez des bijoux sur ce chemisier, le jour de votre arrivée...

— En effet, vous avez bonne mémoire, dit-elle avec une nuance d'ironie dans la voix. Vous étiez tellement en colère que je ne me serais jamais doutée que vous voyiez autre chose que ma taille et ma carrure de faible femme !...

— J'ai vu bien plus que cela, lança-t-il, faussement sérieux, en fixant ostensiblement la poitrine de la jeune femme sous la soie de son chemisier, au point de la faire rougir de confusion. Et puisque c'est moi qui ai fait votre bagage, je me dois de réparer moi-même cet oubli.

Il invita Clio à s'asseoir à la table et, après avoir demandé à sa mère de le suivre, il sortit de la pièce.

Ils furent de retour l'instant d'après avec un très beau collier indien d'argent et de turquoise qu'Hannah confia à la jeune femme pour la soirée.

— Comme la turquoise va bien avec vos yeux !

s'exclama-t-elle après le lui avoir attaché autour du cou. Paul, as-tu remarqué que les yeux de Clio ont les nuances de la turquoise ?

Paul ne répondit pas à la question de sa mère. Il prit place à une extrémité de la table joliment disposée.

— Puisque tu as fait la cuisine, dit-il à Hannah, je vais servir le dîner.

Ce fut une nouvelle surprise pour Clio. Jusqu'ici, elle l'imaginait plutôt se faisant servir par des femmes.

Le poulet au curry accompagné de salade et de toasts était délicieux. Clio fit des compliments à Hannah pour son excellent dîner.

— Je suis contente qu'il vous ait plu, dit gentiment la vieille dame. Et je suis enchantée d'avoir fait votre connaissance. J'espère que Paul vous amènera souvent ici.

Tandis que Paul débarrassait les assiettes à dessert, Frank, son jeune frère, arriva pour prendre le café. Frank était en plus jeune, légèrement plus petit et aussi plus hirsute, la réplique exacte de son aîné. Cependant, le regard intense qui donnait de la profondeur au beau visage de Paul prenait chez lui une lueur presque hostile. Clio remarqua immédiatement l'animosité qui régnait entre les deux frères, et en dépit des efforts habiles d'Hannah pour dévier la conversation sur d'autres sujets, ils en vinrent bientôt à se disputer à propos du projet de la Fourche Maline.

Frank accusait froidement son frère de profaner

des territoires indiens sacrés en procédant à des fouilles à la Fourche Maline. Il semblait juger que Paul aurait plutôt dû user de son influence, en tant que professeur d'université, pour empêcher le projet de construction de l'autoroute d'être mené à bien, et protéger les berges de la rivière et la Falaise Magique d'une destruction certaine.

— Tu ne respectes pas ton propre passé, dit Frank avec véhémence. On construit une autoroute sur la terre sacrée de tes ancêtres, et toi tu ne penses qu'à en arracher de précieux trophées pour publier de brillants articles scientifiques dans la revue d'archéologie de l'université de l'Oklahoma. Libre à toi d'enseigner aux Blancs, mais moi, je choisis d'être un Indien. Je suis fier de mon héritage culturel et je n'ai pas envie de le renier, comme mon honorable grand frère !

Le jeune Indien en colère se leva avec fracas et toisa Paul avec mépris ; celui-ci se dressa à son tour et lui fit face, mais sa mère le retint par le bras.

— Frank, Paul, s'éleva-t-elle. Vous oubliez que nous avons une invitée.

Frank enfonça son chapeau noir à bords larges sur sa tête et sortit en claquant la porte. Paul laissa échapper un juron. Clio, gênée d'avoir assisté à une querelle familiale, baissa les yeux vers sa tasse de café, vide à présent. Ils regardèrent tous les trois en silence la camionnette marron toute cabossée de Frank passer devant la fenêtre de la salle à manger et tourner dans la rue.

— Quand deviendra-t-il enfin adulte pour voir la

réalité en face ? dit Paul à sa mère tandis que la camionnette virait sur les chapeaux de roues et disparaissait de leur vue.

— Souviens-toi du temps où tu nous accusais, ton père et moi, de nous « vendre à l'homme blanc », fit Hannah en lui tapotant doucement la main. Donne-lui le droit d'être jeune, comme tu l'as été. Cela lui passera.

La vieille dame se versa une deuxième tasse de café et reprit :

— Mon jeune fils se bat contre des injustices qui datent de quatre cents ans. Mais un de ces jours, il viendra à la maison, prendra une bonne douche et ouvrira enfin les yeux sur les choses essentielles de la vie. Frank est un artiste, mais il ne le sait pas encore ; sa vocation est d'utiliser son talent de peintre pour immortaliser toutes ces traditions qui lui tiennent tant à cœur... Tout comme Paul s'est fait un devoir de mettre ses aptitudes intellectuelles et son amour de l'histoire au service de son peuple, dans le but de découvrir et de faire connaître le passé des Amérindiens. Frank ne l'a pas encore compris, mais cela viendra.

Paul leva son verre de vin pour porter un toast en l'honneur de sa mère.

— Comme toujours, tu as raison. Je bois à ta santé, et je te remercie d'exister. Parfois je m'emporte contre mon frère, mais heureusement, tu es là pour me rappeler que ce n'est pas mon rôle et que, tôt ou tard, il trouvera sa voie tout seul.

Hannah accepta le toast de Paul avec un sourire

plein de douceur, puis se souvint qu'ils étaient pressés.

— La nuit tombe, dit-elle. Dépêchez-vous de partir, sinon vous serez en retard au spectacle.

Tsa-La-gi, « Le sentier des larmes », se jouait en plein air dans un amphithéâtre et retraçait l'histoire de la tribu cherokee de 1838 à 1907, y compris l'expulsion tragique de ce peuple hors de ses territoires ancestraux du sud des Etats-Unis et sa marche forcée vers les « réserves indiennes » durant l'hiver 1838. Plus de cinq mille Cherokees périrent de faim et de froid lors de cet exode.

Ce spectacle émouvant permit à Clio de mieux comprendre l'amertume des jeunes Indiens, qui, comme le frère de Paul, ne voulaient pas oublier leur passé de persécution.

A la fin du spectacle, Paul proposa à la jeune femme de se changer les idées en se rendant à un « powwow », sorte de cérémonie indienne rituelle. Celui-ci se déroulait dans un parc juste en face de la maison d'Hannah, et tout le monde avait le droit d'y assister.

La plupart des spectateurs réunis en cercle autour d'une grande clairière avaient apporté leur pique-nique et des couvertures pour passer la nuit sur place. Il y avait des familles entières, y compris de tout jeunes enfants sur les genoux de leurs grands-mères indiennes aux rides vénérables. L'aire était entièrement éclairée par des torches, il y régnait une ambiance de fête qui contrastait notablement avec la fresque historique à laquelle Clio venait d'assister.

Tous les danseurs portaient des costumes authentiques et très colorés, dont les motifs évoquaient certains aspects des légendes et des croyances traditionnelles. Paul expliqua que chaque danse exécutée représentait une cérémonie rituelle.

— De nos jours, dit-il, il n'est bien sûr plus question de faire la Danse du Buffle pour demander au Grand Esprit une chasse fructueuse ; mais nous tenons à la répéter pour garder notre culture vivante et nous souvenir des coutumes anciennes.

Clio regarda des danses guerrières, des danses de la pluie, des danses des moissons... l'une d'entre elles mettant même en scène des serpents à sonnette vivants.

Quand le groupe de vieux chanteurs et percussionnistes adopta un rythme plus calme et plus lent, Paul se leva et tira Clio pour qu'elle soit debout avec lui.

— Vous vous souvenez des pas ? lui demanda-t-il en l'entraînant vers le cercle des danseurs.

La jeune femme se sentit d'abord un peu mal à l'aise, quand elle se vit tourner autour du feu au milieu de participants presque exclusivement indiens. Mais les visages souriants qu'elle croisa la rassurèrent bien vite : manifestement, personne n'était choqué de la présence de cette blonde étrangère dans les rangs des danseurs.

Lors d'une interruption, Paul offrit à Clio un morceau de pain de maïs et un soda qu'il acheta à une jeune indienne qui tenait l'un des nombreux stands de nourriture.

Pendant qu'elle dégustait ce mets préparé de façon artisanale, Paul se mit à parler en cherokee à un groupe d'hommes âgés qui faisaient partie des musiciens et des chanteurs. Se sentant un peu exclue, elle se dirigea vers une boîte à ordures pour y jeter les restes de sa collation. A l'écart des torches et des feux, il faisait beaucoup plus sombre, mais son regard fut attiré par une ombre qui bougeait au milieu du parking. A sa grande surprise, elle reconnut alors sans nul doute possible la camionnette marron de Frank Nicolas. La porte du fourgon arrière était grande ouverte et elle reconnut sans peine le profil du jeune frère de Paul assis dans le noir à l'intérieur, une bouteille de bière à la main.

Clio jeta un coup d'œil en direction de Paul : il était toujours en grande conversation avec les vieux sages. Elle se dirigea alors vers l'estafette ; peut-être le jeune Indien en colère se laisserait-il davantage approcher en l'absence de son aîné ?

Cependant, Clio demeura figée sur place en entendant une voix qu'elle connaissait bien sortir du véhicule. Elle se cacha immédiatement derrière un autobus en stationnement. C'était la voix d'Yvonne De Silvestro ! Là, dans la camionnette de Frank !

Mais comment est-ce possible ? se demanda Clio. Yvonne était partie à Oklahoma City pour le weekend. Elle devait y faire une conférence : Clio l'avait vue de ses propres yeux quitter le camp dans l'estafette de l'université, accompagnée des trois étudiants péruviens. Que pouvait-elle faire ici ? Et surtout, pourquoi diable se cachait-elle dans le four-gon de la camionnette de Frank ?

Je dois sûrement me tromper, décida-t-elle. Mais soudain elle entendit à nouveau l'accent cultivé et chantant de l'archéologue péruvienne. On ne pouvait confondre cette voix-là avec aucune autre.

Clio se hâta de disparaître dans les ténèbres et rejoignit Paul. Elle se garda de lui parler de l'inci-dent, de peur de sembler insinuer qu'il se tramait une intrigue entre son frère et Yvonne. Etait-ce le cas ? Yvonne essayait-elle de séduire les deux frères Nico-las ? Quoi qu'il en soit, le fait qu'elle soit venue jusqu'à Tahlequah pour voir Frank, et non Paul, était véritablement étonnant.

Paul lui donna galamment le bras pour traverser la grasse prairie qui séparait le parc de la route. Elle marchait difficilement à cause de ses sandales à hauts talons, mais cette fois elle n'en était nullement embarrassée : après tout, n'était-ce pas Paul lui-même qui les avait mises dans son bagage ? Ce soir, apparemment, il n'avait pas souhaité qu'elle ressem-ble à une étudiante en archéologie intrépide. Elle ne saurait sans doute jamais si, dès le départ, lorsqu'il l'avait forcée à le suivre à Tahlequah, il avait déjà l'intention de passer cette soirée seul avec elle, mais quelle importance ?

Elle lui en était reconnaissante, à présent. Et, mise à part la brutale intrusion du frère de Paul — et celle d'Yvonne — cette journée était l'une des plus belles qu'elle ait vécu jusqu'alors.

Hannah les attendait, assise sous le porche. Ils s'installèrent à côté d'elle dans l'obscurité, écoutant le battement du tam-tam et regardant passer les silhouettes des danseurs qui se profilaient sur la lueur vacillante des flammes. Paul offrit un verre de vin à Clio et elle le but lentement, prêtant une attention distraite au bavardage du fils et de sa mère qui parlaient de leurs parents et amis.

Le vin aidant, une douce torpeur envahit la jeune femme. Après cette journée bien remplie, elle était fatiguée. Elle renversa la tête contre le dossier du grand rocking-chair où elle se balançait et ferma les yeux.

Quand elle reprit conscience, elle était dans les bras de Paul. Il la montait dans sa chambre, car elle avait dû s'endormir. Pourquoi ne pas l'avoir réveillée ? Elle aurait bien été capable de gravir toute seule l'escalier, malgré sa fatigue.

Cependant, elle se sentait délicieusement bien blottie dans ses bras puissants. Elle murmura son nom, s'excusa vaguement de lui causer tant de complications, et noua ses mains autour de son cou pour l'aider à supporter son poids.

Le bruit de ses pas était amorti par le tapis qui recouvrait l'escalier. Elle entendit une porte se fermer à l'autre extrémité du couloir ; c'était sans doute Hannah qui allait se coucher. Elle entendit alors une deuxième porte se refermer et elle se rendit compte que cette fois c'était celle de sa chambre que Paul venait de passer, puisqu'il la déposait à présent sur son grand lit à baldaquin.

Le premier baiser fut si léger qu'elle crut rêver. Peut-être dormait-elle déjà, pour s'imaginer qu'il s'enhardirait à lui voler ce baiser aérien et irréel. C'était un rêve fort agréable. Ses lèvres effleuraient les siennes, et il tenait tendrement son visage entre ses mains. Elle entrouvrit tout naturellement la bouche pour profiter plus pleinement de cette sensation délicieuse. De petits murmures de contentement s'échappaient de sa gorge, dans son demi-sommeil, et elle aurait voulu que ce baiser, illusion ou réalité, ne s'achève jamais. Comme s'il avait entendu son souhait, Paul retira soudain ses lèvres des siennes et les posa dans son cou. Cela la réveilla tout à fait.

— Non ! dit-elle d'une voix trop forte, qui déchira le silence paisible de la pièce.

Non, pas si vite. Elle voulait encore goûter à ses lèvres, sentir leur douce chaleur sur les siennes. Pleinement consciente à présent, elle captura la tête de Paul et le força à reprendre sa bouche. Il n'attendait apparemment que ce signal pour l'embrasser avec une passion redoublée, ce qu'il fit, avec un soupir de plaisir mêlé d'impatience.

Bientôt elle se rendit compte qu'il était allongé sur le lit auprès d'elle, et le baiser ardent qu'elle venait d'obtenir ne lui suffit plus. Bien au contraire, il suscita en elle le besoin d'une étreinte plus totale, plus prometteuse encore. Elle comprit alors que c'était à elle d'aller vers lui, de lui montrer qu'elle était vaincue, qu'elle était à lui. Alors, comme le fleuve se jette irrémédiablement dans l'océan, elle obéit à son instinct et se serra contre lui. Ce geste suffit à Paul pour saisir son message, et il déboutonna fébrilement le chemisier de la jeune femme. Presque par magie, le léger vêtement de soie glissa aussitôt de ses épaules, et son soutien-gorge suivit le même chemin.

Des vagues de désir incontrôlables parcoururent leurs deux corps nus l'un contre l'autre. Rien dans la vie de Clio ne l'avait préparée à la force de ce qu'elle ressentit ensuite. Elle perdit la notion de temps, de l'espace, des limites même de son être qui se fondait dans Paul.

— Je vous en prie, s'entendit-elle supplier, j'ai tellement besoin de vous !

— Je vous désire aussi, Clio, dit-il à son tour. Je ne pense qu'à vous. Jour et nuit.

— Faites-moi l'amour, murmura-t-elle d'une voix brûlante d'impatience.

— Est-ce vraiment ce que vous voulez ? En êtes-vous sûre ?

En vingt-six ans d'existence, elle n'avait jamais eu plus grande certitude. Même si cette première fois devait aussi être la dernière, il fallait que la passion qui enflammait leurs deux corps explose enfin. Maintenant, plus rien ne pourrait les empêcher, l'un comme l'autre, d'aller jusqu'au bout de leur désir. L'amour qui les unissait en cet instant était aussi naturel qu'une pluie de printemps, quand elle vient grossir les eaux de la rivière et la faire déborder de son lit ; personne ne pouvait l'apaiser.

Soudain, ils oublièrent tout le reste. L'amour que

révélait leur étreinte passionnée les emporta très loin, dans un océan de bonheur et de plaisir.

— C'est inouï, souffla Paul quand il recouvra ses esprits.

Clio cigna des yeux. Elle comprenait. Ce qu'ils venaient de vivre ensemble était entièrement nouveau pour elle aussi. Nouveau et démesuré. Cela les dépassait, et ils n'eurent que la force de s'endormir, encore enlacés.

Paul se réveilla le premier. Il faisait encore nuit, mais l'aube était proche. Allongé contre elle, il contempla Clio encore endormie. Il la désirait à nouveau. Elle l'avait ensorcelé — ou pire, rendu fou amoureux. Que pouvait-il à présent contre ce besoin éperdu qu'il avait laissé naître en lui ? Elle était là, lovée contre lui, et il la désirait encore et toujours. Mais elle, que ressentait-elle vraiment ? Il fallait à tout prix qu'il sache quelle importance elle accordait à ce qui venait de se passer. Elle bougea légèrement, s'éveillant à son tour. Elle se tourna vers lui, avec ses beaux cheveux en désordre et son visage sans fard, aussi nu que son corps tiède et doux. Elle lui fit un petit sourire, presque timide. La gorge nouée, il parla sans détour.

— Que va-t-il nous arriver, Clio ? Allez-vous renoncer aux autres ? Quelque chose a-t-il changé en vous ?

— Les autres ? répéta-t-elle en fronçant les sourcils.

— Je ne suis pas aveugle, expliqua-t-il. Et du reste, moi aussi, j'ai Yvonne. Je ne sais que penser, Clio. Qu'allons-nous faire ?

Elle cacha son visage dans ses mains, le temps de se reprendre, mais elle dut faire un effort pour parvenir à lui sourire.

— Ne vous inquiétez pas, dit-elle d'une voix trop nette. Nous sommes adultes, et ce qui s'est produit entre nous arrive tous les jours. Nous trouverons une solution. Mais retournez vite dans votre chambre : il serait délicat pour vous que votre mère vous voie sortir d'ici ce matin.

Elle effleura sa joue d'une caresse et lui tourna le dos. Il essaya de lui dire qu'il n'avait pas envie de partir, qu'il voulait encore lui faire l'amour, même si cela comptait beaucoup moins pour elle que pour lui. Il serait bien temps de souffrir plus tard. Mais il n'osa pas, de peur d'essuyer un refus. Au lieu de cela, il partit.

Clio attendit que la porte soit refermée avant de laisser échapper son premier sanglot.

Chapitre 8

L'ambiance du petit déjeuner fut plutôt tendue. Hannah ne savait que penser de la politesse formelle qui régnait entre Paul et Clio. Leur amitié complice de la veille s'était envolée.

Paul s'excusa avant même que Clio ait fini de manger et quand elle descendit les marches du perron, il avait déjà mis tous les bagages dans la voiture. Il ne reparla pas de la visite du musée indien prévue en début d'après-midi.

Pendant le voyage du retour, la jeune femme fut incapable de rompre le silence oppressant qui régnait entre eux. A quoi bon essayer de se justifier auprès du professeur austère qui ne daignait même plus la regarder ? Il pouvait bien penser ce qu'il voulait d'elle. Ainsi, il ne se sentirait pas obligé de s'excuser ou d'expliquer ses actes de la veille.

Manifestement, Paul avait immédiatement regretté d'avoir fait l'amour avec elle. Il avait été infidèle à la femme qu'il avait l'intention d'épouser, et devait à présent juger bien sordide cette furtive

aventure avec une fille qu'il croyait débauchée. Clio
en était presque à regretter de ne pas ressentir le
même mépris, au lieu du lourd chagrin qui lui nouait
la gorge.

Car elle l'aimait profondément. Elle respectait son
savoir et adorait son corps, son visage. Mais il n'y
avait pas de place pour elle dans sa vie. Il ne voyait
en elle qu'une jeune écervelée volage.

Plus jamais, se dit-elle en se souvenant avec
amertume des mots blessants qu'il avait prononcés à
l'aube, avant de l'abandonner à son désespoir : il
avait parlé des « autres » et surtout d'Yvonne, qu'il
craignait de perdre...

Quand enfin la ferme délabrée de Chester Wilson
fut en vue, Clio poussa un soupir de soulagement.
Elle ne supportait plus la tension de ce trajet
interminable. Paul s'engagea à vive allure à travers la
prairie, soulevant des nuages de poussière rouge.
Manifestement, il n'avait pas plu pendant leur
absence.

Clio constata alors avec surprise que la barrière au
bas du champ était grande ouverte ; heureusement, le
bétail ne s'était pas échappé. Elle la referma soigneusement après le passage de la voiture et parcourut à
pied les quelques dizaines de mètres qui la séparaient
de la rivière. Le niveau de l'eau avait beaucoup
baissé, et les arbres semblaient être dans un aussi
triste état que la jeune femme elle-même : leurs
feuilles, recouvertes d'une épaisse couche de poussière, pendaient lamentablement dans l'air immobile
et brûlant. Très haut dans le ciel, un aigle décrivait de

grands cercles au-dessus d'eux. Clio se demanda
distraitement quelle petite proie était destinée à
mourir l'instant d'après entre ses serres. Elle fut
brusquement tirée de sa rêverie mélancolique par un
juron furieux de Paul. Elle suivit son regard et
comprit aussitôt pourquoi : le camp était dévasté !

— Mais que diable s'est-il passé ? demanda-t-elle,
horrifiée, en constatant l'ampleur du désastre.

— Ce n'est pas difficile à deviner, répondit Paul,
fou de rage.

— Que... Que voulez-vous dire ?

— Les traces, regardez les traces sur le sol, fit-il en
serrant les dents. Ce sont celles d'un bulldozer. Et le
seul bulldozer à des kilomètres à la ronde appartient
à l'équipe de l'autoroute. Il semble que votre petit
ami ait voulu mettre fin à nos fouilles pour pouvoir
construire son cher pont dans les délais prévus ! La
rivière étant basse, il lui aura été facile de remonter
le courant.

— Larry n'aurait jamais fait cela. Et d'abord, il
n'est pas mon petit ami !

La consternation de Paul était à son comble quand
il inspecta le camp : la grande tente-cuisine avait été
mise en pièces, ainsi que celle où les objets découverts étaient entreposés et catalogués. Tout le travail
à refaire représentait une somme de temps et d'argent considérable. De plus, pas une des petites tentes
individuelles des hommes n'avait été épargnée. Seul-
les celles d'Yvonne et de Clio, qui étaient à l'écart,
demeuraient intactes.

— Je note qu'il a eu la délicatesse de ne pas

toucher à votre tente, fit méchamment Paul. L'esti-
mez-vous toujours autant, à présent ?

— Je suis persuadée qu'il n'a rien à voir avec tout
cela. Non seulement il en serait incapable, mais en
plus, quel intérêt aurait-il à retarder notre travail ?
Tout ce qu'il veut, c'est que nous en finissions au plus
vite pour pouvoir prendre possession des lieux.

— Il aura sans doute découvert que j'ai déposé
une demande auprès de la commission archéologique
d'état pour que la Fourche Maline soit classée site
historique. Si la demande est acceptée, l'emplacement du pont devra être modifié. Il faudra donc que
la compagnie de Jarvis achète d'autres terrains,
obtienne des autorisations, recommence toutes ses
démarches. Pour votre ami, cela signifie des mois de
retard. Il a donc, semble-t-il, essayé de nous effrayer
pour se débarrasser de nous. Mais vous pouvez lui
dire que je me battrai jusqu'au bout !

Clio aurait voulu crier à Paul que Larry n'était pas
son amant, et qu'elle était sûre que le timide jeune
homme n'avait rien à voir dans ce massacre, mais elle
savait qu'il ne la croirait pas.

Le chef de la société archéologique qui avait passé
le week-end non loin de là arriva sur ces entrefaites,
l'air navré. Il leur apprit qu'il avait bien surveillé le
camp, mais que le drame avait dû se produire dans la
soirée du samedi. En effet, le vent soufflant très fort
et menaçant d'apporter de la pluie, les archéologues
amateurs avaient décidé ce soir-là de se rendre à
Seneca pour dîner et prendre un verre. Le temps
interdisait de faire un feu de camp. Il était revenu

très tôt ce matin, pour voir si le vent n'avait rien abîmé, et avait malheureusement constaté la catastrophe.

Peu à peu, les autres membres de l'équipe arrivèrent de leurs week-ends respectifs. Quand Yvonne vit les dégâts causés par le bulldozer, elle sembla sincèrement affectée. Pourtant, Clio ne put s'empêcher d'avoir un doute. Etait-il possible que l'entrevue clandestine de la Péruvienne avec le frère de Paul ait un quelconque rapport avec tout ceci ? Ses soupçons se confirmèrent quand Edgar lui dit que le professeur De Silvestro et ses trois étudiants avaient passé la nuit de samedi soir à Tulsa, où ils s'étaient rendus pour une visite touristique. Or, Tulsa ne se trouvait guère qu'à une heure de route de Tahlequah : Yvonne avait fort bien pu se rendre dans la petite ville indienne pour y rencontrer Frank, et comploter avec lui de sinistres projets, mais dans quel but ?

Un second détail éveilla la suspicion de Clio : dans l'après-midi, Paul la chargea de se rendre en ville pour acheter quelques provisions, Cookie étant trop occupé à remettre sur pied les restes de sa cuisine de fortune. En passant devant le motel situé à la sortie de Seneca, au volant de l'estafette de l'université qu'elle avait empruntée, elle reconnut une fois de plus la camionnette marron de Frank Nicolas. Que pouvait-il bien faire là ? Etait-ce possible qu'il soit venu s'excuser auprès de son frère, pour sa violente sortie de la veille ? Cela ne ressemblait guère au belliqueux Frank. Dans ce cas, sa présence à Seneca signifiait-elle qu'il était mêlé, de près ou de loin, au sabotage du camp ?

Elle se garda bien de parler à Paul de ces curieuses coïncidences, de peur qu'il ne l'accuse ensuite de vouloir détourner les soupçons qui planaient sur Larrys Jarvis.

Quoi qu'il en soit, l'enquête du sheriff, éclaircirait sans doute le mystère. Au fond de son cœur, Clio en vint à souhaiter que ni Larry ni Frank ne fussent réellement impliqués dans l'affaire.

Il s'avéra que Larry avait un alibi très sérieux pour se disculper : comme il l'avait annoncé à Clio le soir où il était sorti avec elle, il était parti pour Tulsa, où siégeait sa compagnie, et s'y trouvait le week-end du drame. Questionné par le sheriff, il avait répondu par ailleurs qu'il ignorait totalement qui avait pu « emprunter » l'un des engins, son équipe d'ouvriers ayant été déplacée sur un autre chantier, faute de pouvoir avancer les travaux de construction du pont.

La semaine se passa à reconstruire le camp avec le peu de moyens dont l'équipe disposait. Le remplacement du matériel endommagé coûtait extrêmement cher, mais chacun était décidé à continuer les fouilles ; même s'il fallait pour cela dormir à la belle étoile et faire la cuisine sur des feux de camp jusqu'à la fin de l'été. L'inconfort créé par la démolition partielle des installations, les repas improvisés et le manque de sommeil dû aux tours de garde qui avaient été décidés d'un commun accord pour la nuit ne firent qu'accroître l'animosité de tous contre le présumé coupable. Et malgré ses alibis, Larry restait le suspect numéro un : Paul avait déclaré à juste titre que le jeune Jarvis avait fort bien pu payer quelqu'un d'autre pour opérer le sabotage à sa place.

Comme Paul, la majorité du groupe semblait convaincue de sa culpabilité. En prenant la défense du jeune ingénieur, Clio ne faisait qu'aggraver la tension qui régnait entre elle et Paul depuis la nuit fatidique qu'ils avaient passée ensemble à Tahlequah.

Edgar, Dennis, Sam et les autres n'en voulaient cependant pas à Clio de clamer l'innocence de Jarvis bien qu'ils soient tous persuadés qu'elle ait tort.

Comme elle le lui avait promis depuis longtemps, Clio sortit à nouveau un samedi soir avec Larry. Elle avait besoin de s'éloigner un peu du camp, même si ses camarades — et surtout Paul — désapprouvaient qu'elle reste en contact avec celui qu'ils tenaient pour responsable de tous leurs maux. Le jeune ingénieur avait le mérite de ne rien n'exiger d'elle, au contraire de Dennis, qui lui faisait toujours une cour voyante et assidue. Mais quel triste couple ils formaient ! se dit-elle en se voyant assise à la table du petit restaurant en face du jeune homme aux yeux gris si mélancoliques. Ils étaient tous les deux amoureux d'une personne qui ne voulait pas d'eux : Larry ne pensait qu'à son ex-épouse, qu'il aimait toujours, et Clio, en secret, se lamentait de ne pouvoir oublier Paul. Elle confia son chagrin à l'ingénieur, sans toutefois bien sûr mentionner le nom de Paul Nicolas.

Sur le site, un total de vingt-trois squelettes avait déjà été déterrés depuis la première découverte d'ossements humains au bord de la rivière. Mais si la construction de l'autoroute reprenait dans les délais prévus, la plupart des mystères recelés par la Fourche Maline resteraient irrésolus. Clio, comme tous ses compagnons, travaillait d'arrache-pied pour soustraire à la terre le plus d'informations possible, étant donné le peu de temps qui restait. Bientôt l'été allait s'achever : Paul partirait sans doute au Pérou avec Yvonne. Et sauf si l'endroit était déclaré site historique, il serait irrémédiablement recouvert par une autoroute.

Après avoir soigneusement évité Paul pendant des jours — lui-même s'étant contenté de la plus froide politesse — la jeune femme fut étonnée de l'entendre déclarer un soir qu'il avait l'intention de se joindre à elle et à Edgar durant toute la semaine suivante. Persuadée que le professeur voulait s'éloigner d'elle le plus possible, elle comprit cependant que l'intérêt de Paul pour le lieu de sépulture qu'elle était occupée à fouiller avec son ami péruvien primait sur tout. En effet, c'était souvent dans les ossuaires que l'on découvrait les objets façonnés les plus intéressants, car les civilisations anciennes enterraient souvent leurs morts avec ce qu'ils avaient possédé de plus cher durant leur vie. On apprenait ainsi énormément de choses sur leurs coutumes, leur religion et leur place dans la hiérarchie sociale.

Pourtant, comment allait-elle supporter de passer

une semaine entière avec lui ! Il ne fallait surtout pas qu'il sache à quel point elle l'aimait en réalité. Elle envisageait même de le laisser croire qu'elle avait fait l'amour avec lui par jeu, puisqu'il la prenait pour une fille légère. Son orgueil lui interdisait de lui apprendre la vérité ; elle ne supporterait pas qu'il ait pitié d'elle — ou pire, qu'il se moque d'elle !

Bien que la présence d'Edgar facilitât un peu les choses, la première matinée que Paul passa à côté d'elle dans la tranchée s'avéra un véritable calvaire pour la jeune femme. Elle avait l'impression que ses sentiments pour le beau professeur étaient inscrits sur son front, et souffrait le martyre à chaque fois que leurs jambes ou leurs bras se frôlaient par inadvertance. Conscient de la tension de sa camarade, sans pour autant en connaître la raison véritable, Edgar fit de son mieux pour égayer l'atmosphère et se montra beaucoup plus bavard et curieux qu'à l'accoutumée. Clio, bien que très mal à l'aise, lui fut reconnaissante pour toutes les questions qu'il s'ingénia à poser.

De son côté, elle se concentra le plus possible sur son travail. Sans relâche, elle usa tour à tour des outils les plus variés pour creuser, gratter, brosser la terre. Elle utilisa même une vieille brosse à dents pour débarrasser une antique mâchoire de la poussière qui s'y était amassée au fil des siècles.

La semaine s'écoula, et la jeune femme s'habitua peu à peu à la présence de Paul. Souvent, l'ombre d'Yvonne apparaissait en haut de la tranchée, et il ne manquait jamais de lui montrer leur dernière découverte. Le professeur De Silvestro continuait de

traiter le site — et Clio — avec la même condescen-
dance, et parfois même avec mépris. Un jour, à la fin
d'une après-midi particulièrement fructueuse, Paul
confia à Yvonne combien il espérait poursuivre les
fouilles à la Fourche Maline l'été suivant.

— Ce serait sans doute une occasion pour tes
nouveaux étudiants de faire leur apprentissage sur le
terrain, répondit-elle. Mais j'espère que tu n'envisa-
ges pas sérieusement de revenir ici en personne
l'année prochaine. Ce genre de fouilles est tout juste
bon pour des amateurs comme Clio Marshall. Un
homme de ton envergure doit songer à des projets
beaucoup plus ambitieux et significatifs en matière
d'histoire archéologique.

Clio, qui avait assisté à la scène, décida de ne pas
réagir. Elle ne donnerait pas à Yvonne le plaisir de la
voir blessée.

L'ambiance dans la tranchée finit par s'alléger
graduellement jusqu'à devenir franchement agréable. Grâce aux efforts d'Edgar, ils en vinrent tous les
trois à échanger leurs souvenirs d'enfance respectifs.
Paul semblait s'intéresser vivement à la façon dont
Clio avait vécu les longues absences de son père
lorsqu'elle était petite fille.

— Il est certain que ma mère aurait apprécié
d'avoir une maison bien à elle et un mari toujours
présent, lui confia-t-elle. Pour ma part, j'ai toujours
regretté que mon père ne nous emmène pas, elle et
moi, au cours de certains de ses voyages. Il aurait pu
le faire, aucune loi n'oblige les gens à élever leurs
enfants dans un seul pays.

— Mais pourtant, les enfants ont besoin d'un foyer stable et de voir en permanence leur père et leur mère, n'est-ce pas? remarqua Paul d'un air songeur. Ma vie à moi, par exemple, sera toujours tellement jalonnée d'imprévus... Même si je décidais de rester à l'université, je serais souvent absent de chez moi.

Contre toute attente, comme le week-end approchait, Clio fut envahie par une étrange tristesse. Grâce à la gentillesse et au tact d'Edgar, la semaine passée à trois dans la tranchée avec Paul s'était avérée amicale et chaleureuse. Ils avaient réussi à retrouver, à trois, un terrain d'entente. Même les intrusions parfois agressives d'Yvonne n'avaient pas affecté leur nouvelle amitié. Clio en était fière et regrettait que cela doive se terminer si tôt.

Le vendredi, en fin d'après-midi, Edgar fut appelé dans une tranchée voisine pour aider à extraire un roc particulièrement rebelle. Clio se retrouva toute seule avec Paul pour rassembler et ranger les outils. Il avait fait très chaud, et quand la cloche du dîner retentit, la jeune femme se rendit compte à quel point elle était fatiguée. Au moment de sortir de la tranchée, son pied dérapa sur le sol meuble et elle retomba dans le trou ou plus exactement dans les bras de Paul qui s'apprêtait à la suivre.

Ensuite, tout se passa très vite. Au mépris de la sueur et de la poussière rouge qui leur collaient à la peau, elle se serra instinctivement contre lui. La joue posée sur sa large poitrine, elle entendit les battements rapides de son cœur. D'une main ferme, il

empoigna ses beaux cheveux blonds et la força à
lever son visage vers lui. Une lueur ardente de désir
brillait dans ses yeux de fier Indien.

— Clio, murmura-t-il d'une voix presque doulou-
reuse. Clio...

Elle ferma les yeux en signe de consentement
muet. Un baiser, juste un dernier baiser de lui avant
de le quitter à jamais !

Elle osa à son tour glisser ses doigts dans la
chevelure épaisse de Paul. Elle frissonna en retrou-
vant les sensations délicieuses qu'elle avait éprouvées
en accomplissant les mêmes gestes à Tahlequah,
lorsqu'ils avaient fait l'amour ensemble. Il répéta
encore son nom, avec détermination cette fois. Alors
elle noua ses bras autour de son cou et lui tendit ses
lèvres entrouvertes.

Mais brusquement il se raidit et la repoussa.
Comment ? N'allait-il pas l'embrasser ?

Soudain Clio se rendit compte qu'ils n'étaient plus
seuls. Quelques cailloux roulèrent du bord de la
tranchée ; elle suivit le regard de Paul et aperçut la
silhouette menaçante d'Yvonne au-dessus d'eux.

— Eh bien, Clio, avez-vous l'intention de séduire
tous les mâles qui vous approcheront cet été ?

Les paroles avaient jailli de la bouche méprisante
de la Péruvienne comme la lave d'un volcan en
éruption. Après tout, elle avait entièrement raison.
Paul était à elle, il l'aimait et avait l'intention de
l'épouser. De quel droit Clio s'était-elle permis de le
provoquer ainsi ? Il n'avait jamais insinué une éven-
tuelle rupture avec sa compagne. Il ne lui avait

jamais donné aucun espoir de l'aimer, elle, un jour, et de cesser d'aimer Yvonne. Causer des ennuis à Paul était la dernière de ses intentions. Et pourtant, depuis son arrivée au camp, elle n'avait cessé de lui causer du souci !

Au dîner, Clio fut incapable de toucher à sa nourriture. Le cours du soir ne retint guère plus son attention. Quand enfin elle put regagner sa tente, elle ne parvint pas à trouver le sommeil. L'idée de Paul l'obsédait et la poursuivit même dans ses rêves, lorsque, très tard, elle finit par s'endormir malgré la chaleur oppressante de la nuit.

Chapitre 9

Yvonne fut à nouveau appelée à se rendre à une conférence, à Dallas cette fois. Le reste de l'équipe décida de continuer de travailler durant tout le week-end, pour perdre le moins de temps possible. Il ne restait plus qu'une semaine avant la clôture officielle du projet, et nul ne savait encore si le site allait être préservé ou définitivement enfoui sous une autoroute. Plusieurs étudiants « temporaires » étaient venus en renfort pour ces deux jours, et on chargea Clio de diriger les fouilles de deux d'entre eux.

Comme Paul passait à proximité, il l'observa tandis qu'elle expliquait patiemment aux jeunes novices les rudiments de la technique qu'elle employait pour déterrer un squelette d'enfant.

Quand elle eut terminé, le professeur Nicolas s'agenouilla au bord de la tranchée et se pencha vers elle avec un large sourire.

— Clio Marshall, je vous dois toutes mes excuses, et toutes mes félicitations pour les progrès que vous avez accomplis durant l'été. Non seulement je me trompais quand je doutais de votre aptitude à devenir archéologue, mais je n'imaginais pas que vous aviez en plus toutes les qualités pour enseigner, et bien mieux que moi-même !

La sincérité de ses compliments prit la jeune femme totalement au dépourvu. S'ils avaient été seuls, elle lui aurait sauté au cou tellement ils la remplissaient de joie. Mais quelqu'un appela Paul du monticule voisin. Avant de se lever, il lui posa la main sur l'épaule et dit :

— Il nous faut envisager sérieusement votre avenir. Vous devez absolument poursuivre vos études en archéologie, pour devenir chercheur. Mais nous reparlerons de tout cela dans une heure. Je dois me rendre à Wilburton chez un fermier qui a, semble-til, fait des découvertes intéressantes en labourant son champ. Quoique... si vous acceptez de m'accompagner, vous m'aiderez à prendre des notes.

Elle n'eut pas le temps de répondre, car déjà il s'éloignait de sa démarche féline vers l'autre remblais. Si elle acceptait ? La question ne se posait pas. Chaque instant passé seule avec lui était plus précieux que tout aux yeux de Clio. Elle aimait cet homme hors du commun, elle l'admirait, même si cet amour et cette admiration étaient sans espoir.

Sur la route, Paul lui suggéra à nouveau d'obtenir un diplôme supérieur en archéologie pour ensuite faire carrière dans ce domaine.

— Cela me plairait, dit-elle. Malheureusement, dès l'an prochain, je devrai trouver un emploi. J'ai bien peur d'être obligée d'abandonner là mes études, bien qu'elles me passionnent.

— Ce serait vraiment dommage, répondit Paul. Vos intuitions sont excellentes, et j'aime votre approche à la fois humaine et rigoureuse. Je pense que ce sont deux qualités primordiales en archéologie : savoir se mettre à la place de ceux dont on fouille le passé, être curieux de tout sans négliger pour autant les données scientifiques.

— Vous me flattez beaucoup, mais je crains que ma fascination pour l'histoire ancienne ne suffise pas à me faire obtenir un doctorat. Je dois songer à m'installer, à être financièrement complètement autonome et à ne plus vivre sous le toit de mon oncle et ma tante. La seule façon d'y parvenir, c'est d'entrer dès maintenant dans la vie active et, qui sait ? créer un foyer, me marier et avoir des enfants.

— C'est curieux, je ne vous croyais pas prête à vous marier si tôt.

— Pourquoi ?

— Avec tous les hommes qui tournent autour de vous, et à votre âge, les occasions n'ont pas dû vous manquer.

— Je ne vous permets pas d'insinuer que les garçons qui sont mes amis sont aussi mes amants. Une femme n'a-t-elle pas le droit d'apprécier des gens du sexe opposé sans pour autant coucher avec eux ?

Clio ne voulait pas avouer son divorce à Paul, de peur de le conforter dans sa conviction qu'elle n'était pas encore « prête à se marier ».

— Parlons d'autre chose, voulez-vous ? proposa Paul en resserrant les doigts sur son volant. Nous n'allons pas nous gâcher l'après-midi par une nouvelle dispute. Votre vie privée ne me regarde pas, soit, mais c'est mon rôle de professeur de vous pousser à poursuivre des études pour lesquelles vous me paraissez douée.

La fin de leur court voyage se déroula en silence. Quand ils arrivèrent à destination, Clio oublia ses soucis et seconda Paul de son mieux. Le fermier leur indiqua l'endroit où il avait par hasard déterré des pointes de flèches, ainsi qu'un crâne humain. Le vieil homme en avait été intrigué et avait demandé conseil au sherrif. C'est ainsi que le professeur Nicolas en avait été averti.

Avec la permission du fermier, Paul prit des mesures et releva les emplacements en les dictant à Clio. Il inspecta les environs, notamment les bords d'un petit ruisseau qui coulait au milieu d'un champ.

Il expliqua en effet que les différentes couches géologiques visibles le long du ruisseau aideraient à dater les objets façonnés découverts.

— Que va devenir ce site ? demanda Clio. Va-t-on y procéder à des fouilles ?

— Difficile de décider de cela maintenant. Je vais probablement faire faire des photographies aériennes du terrain. C'est une excellente méthode pour révéler des détails qui échappent lorsqu'on n'a pas un point de vue global. La disposition de la végétation, d'éventuelles fondations visibles du ciel sont des indices importants. Les sondes géologiques au radar

peuvent également s'avérer fort utiles pour tester le
sol avant d'y creuser des tranchées. Mais pour que
des fouilles proprement dites soient commencées, il
faudrait vraiment que le site apparaisse d'une
richesse exceptionnelle. Dans le seul état de l'Oklahoma, il existe déjà des centaines de chantiers
archéologiques en attente, faute de crédits. Seuls
ceux qui représentent un réel potentiel de connaissances pour notre patrimoine verront le jour.

— Celui de la Fourche Maline en est un, n'est-ce
pas ?

— Oui, celui-là est un vrai trésor. Si l'on n'obtient
pas son classement comme site protégé, sa destruction sera un véritable crime pour la science. C'est une
évidence pour tous ceux qui y ont travaillé. Mais je
ne veux pas vous ennuyer avec ces problèmes cet
après-midi. Il est presque temps déjà pour vous de
rentrer dans le Nebraska, et vous avez passé l'été à
moitié enterrée dans une tranchée au bord de cette
satanée rivière. Oublions-la un instant.

Sur le chemin du retour, Paul prit plaisir à montrer
à Clio les curiosités des environs. Il connaissait la
région par cœur et la jeune femme l'écoutait avec un
plaisir sans mélange. Il n'hésita pas à faire de
nombreux détours et arrêter plusieurs fois la voiture
pour lui faire visiter des monuments et admirer
certains panoramas.

Ils s'arrêtèrent dans la petite ville de Talahina, qui
portait le nom de la femme cherokee légendaire dont
ils avaient vu la tombe à Fort Gibson, lors de leur

week-end chez la mère de Paul. Une fois de plus, la
conversation dévia sur la célèbre histoire d'amour
entre Sam Houston et la belle Talahina.

— A la fin de sa vie, raconta Paul, Houston
évoquait avec beaucoup de nostalgie l'époque qu'il
avait passée parmi les Indiens. Il n'oubia jamais celle
qui avait refusé de quitter son peuple pour le suivre
au Texas.

— Je me demande si elle a regretté sa décision, dit
Clio. Si elle l'aimait, elle aurait peut-être dû partir
avec lui.

— Elle désirait sans doute un foyer pour l'enfant
qu'elle avait eu de lui. Houston était un vagabond, au
même titre que nous, les archéologues.

Ils poursuivirent leur périple jusqu'à Choctaw, un
autre haut-lieu de la culture cherokee, avant de
prendre le chemin du retour. Clio se plaisait à
partager son amour de l'histoire avec Paul. C'était
comme si leurs discussions passionnantes n'avaient
jamais dû s'arrêter, et elle ne put s'empêcher d'être
déçue quand Seneca fut en vue.

En arrivant au camp, la cloche du dîner avait déjà
sonné, et tout le monde était réuni dans la tente
principale. Ils s'étonnèrent de voir que tous les
garçons s'étaient déguisés en cow-boys, avec des
bottes et des chemises western. C'était, pour les trois
étudiants péruviens, l'occasion d'étrenner les bottes
de cuir et les chemises à carreaux qu'ils avaient
achetées lors de leur visite à Oklahoma City.

— Mais qu'est-ce que cela signifie ? questionna
Paul.

— Je vous invite tous à un bal folklorique en ville, répondit Cookie en lui remettant le courrier du jour. On n'attendait plus que vous et Miss Clio : dépêchez-vous de manger et d'aller vous changer. Miss Clio, mettez votre robe à volants qui vous va si bien. Les gars du village ne vont pas en revenir quand ils verront un aussi joli brin de fille, n'est-ce pas, professeur Paul ?

Paul se passa de commentaires car Yvonne arrivait vers lui, élégante et élancée dans son ensemble pantalon jaune citron qui seyait parfaitement à son teint mat et velouté.

— Tout va bien ? demanda Paul. Vous ne deviez rentrer que demain, tes étudiants et toi...

— Le programme a été modifié en dernière minute. Ce matin nous avons fait un peu de tourisme avec les garçons et nous sommes revenus ici. Je vois que toi aussi, tu t'es promené pendant mon absence ?

— Oui, je suis allé voir ce site près de Geer avec Clio, dit-il calmement.

— Tiens ? Je croyais pourtant que tu avais besoin d'aide pour prendre les mesures et noter les emplacements ?

— Clio l'a très bien fait.

— Je parie que le fermier vous a montré une poignée de vieilles pointes de flèches qu'il avait déterrées derrière sa grange, ironisa Yvonne. Que je suis lasse de ces pointes de flèches !

— Je sais, c'est pourquoi j'ai emmené Clio.

Craignant d'assister à une querelle d'amoureux, Clio s'éclipsa et alla retirer son plateau-repas. Elle ne voulait pas entendre les insultes d'Yvonne, qui était manifestement furieuse que Paul ne l'ait pas attendue pour se rendre à Geer, préférant y aller avec sa jeune étudiante.

Peu de temps après cependant, les deux professeurs firent leur entrée dans la grande tente bras-dessus bras-dessous. Apparemment, Yvonne avait préféré fermer les yeux sur l'escapade de Paul avec Clio.

L'ambiance du dîner fut très gaie, et les commentaires allèrent bon train au sujet de la sortie prévue à Seneca. Les garçons s'amusaient beaucoup à l'idée de danser avec de jolies paysannes...

— Dansez avec qui vous voulez, lança Dennis en entourant d'un bras possessif les épaules de Clio. Moi j'ai déjà choisi ma cavalière. Je parie qu'il n'y a pas une fille dans le pays capable de rivaliser avec Clio !

La bonne humeur du groupe fut à son comble quand Paul annonça qu'il venait de recevoir une lettre très encourageante de la commission archéologique d'état.

— Rien n'est encore sûr, leur dit-il, mais ma demande risque d'être acceptée. Si le site est enfin classé, les fouilles pourront se poursuivre ici pendant des années de façon satisfaisante. Et notre chère Falaise Magique sera préservée. Il nous reste très peu de temps cet été, et je n'ai pas besoin de vous dire combien il est important pour notre projet de fournir la preuve que la Fourche Maline est le site d'habitation humaine le plus ancien de l'Oklahoma, ce dont je suis personnellement, intimement persuadé. Certaines de nos récentes découvertes sont d'un précieux intérêt.

« Alors, en route pour Seneca, reprit-il. Mais n'oubliez pas : je veux voir tout le monde à son poste demain matin. Avec un peu de chance, certains d'entre nous reviendrons explorer leurs tranchées l'été prochain ! »

Seule Yvonne fut peu enthousiaste au discours de Paul. L'archéologue péruvienne s'opposait par principe à tout ce qui risquait de retenir celui qu'elle voulait emmener au Pérou avec elle. Pourtant, l'intérêt du professeur Nicolas pour la Fourche Maline était évident. C'était *sa* découverte, et il en connaissait la valeur. Yvonne, de son côté, jugeait le site insignifiant par rapport aux richesses archéologiques de son pays natal. Elle ne songeait qu'à arracher Paul à son principal centre d'intérêt : l'Oklahoma.

En apprenant la nouvelle, Clio ne put s'empêcher de penser à ce que le classement historique de la Fourche Maline signifiait pour Larry Jarvis et la compagnie de son père. Ils risquaient la faillite. Mais elle partageait l'avis de ses camarades : les fouilles devaient absolument se poursuivre, et détruire la falaise pour y faire passer une autoroute serait un acte criminel. D'autant plus que la Falaise Magique était un lieu sacré pour d'innombrables générations d'Indiens qui le vénéraient.

Elle se hâta de finir de manger et courut se changer. Pour faire plaisir à Cookie, elle enfila la seule robe qu'elle avait emportée, la robe à volants. L'imprimé à rayures gai et coloré du tissu chatoyant, réhaussait son bronzage et lui allait à ravir. Ses épaules étaient joliment dénudées par le bustier froncé sans bretelles, et la jupe ample volait autour de ses jambes fines. Elle glissa ses pieds dans ses sandales blanches à talons hauts.

Elle prit le temps de brosser longuement ses cheveux qui retombaient en cascade sur ses épaules. Elle se maquilla légèrement les lèvres et ajouta une touche de rose sur ses pommettes. Pour une raison inexplicable, elle avait envie d'être la plus belle ce soir-là. Elle acheva sa toilette en mettant sa chaîne en or et ses boucles d'oreilles de perles fines.

Le bal avait lieu dans la grande salle des fêtes de Seneca, et toute la ville semblait s'y être rendue : il y avait un monde fou. Cookie montra aux novices la façon de danser le quadrille, et bientôt toute l'équipe se retrouva sur la piste de danse. Clio virevolta de cavalier en cavalier, et quand elle tomba dans les bras de Paul, elle devint rouge de confusion. Il semblait aussi à l'aise au quadrille que dans les danses rituelles indiennes, et la mena avec grâce autour du cercle formé par les autres couples. Comme c'était drôle ! Les musiciens étaient excellents, le violonniste en particulier.

— Vous vous amusez ? demanda Paul en la regardant avec admiration, tandis qu'elle sautait devant lui.

— Oh, oui ! J'ai passé une journée merveilleuse, depuis ce matin ! répondit-elle avec un large sourire.

Il y eut ensuite des gigues, et d'autres quadrilles ; Paul la choisit souvent comme cavalière. Mais il invita aussi Yvonne. Celle-ci ne quittait pas Paul des yeux chaque fois qu'il tenait Clio dans ses bras.

Lors d'une pause, Clio la vit entrer dans une cabine téléphonique placée dans le hall, mais elle était trop occupée à prendre du bon temps pour s'en soucier. Elle suivit le rythme endiablé des violoneux jusqu'à en perdre le souffle. Une bouffée d'air frais venue par la porte grande ouverte lui donna finalement envie de sortir pour se reposer un instant.

De petits groupes fumaient devant l'entrée et faisaient quelques pas dans les allées du jardin de l'édifice. Ne voyant aucun visage connu, la jeune femme décida d'aller s'asseoir légèrement à l'écart sur un muret qui donnait sur la rue. La fraîcheur de la nuit était délicieuse, et elle ferma les yeux et releva ses cheveux au-dessus de sa nuque pour mieux en profiter. Sa peau était un peu moite.

Soudain, elle sentit quelqu'un l'embrasser dans le cou, par-derrière.

— Arrêtez, Dennis ! dit-elle aussitôt. Votre jolie paysanne vous aurait-elle laissé tomber ?

Le baiser cessa brusquement et la réponse effrontée à laquelle elle s'était attendue ne vint pas. Elle se retourna brusquement et découvrit Paul.

— Oh, pardon, je croyais que c'était Dennis.

— Désolé de vous décevoir.

— Mettez-vous à ma place, je n'ai pas l'habitude d'être embrassée par mes professeurs !... tandis que Dennis passe son temps à m'agacer avec des farces de ce genre. C'est un incorrigible Don Juan. Venez donc vous asseoir à côté de moi, au lieu de vous vexer. La soirée a tellement bien commencé !

Paul ne répondit pas ; au lieu de cela, il tourna les talons et partit sur l'allée de graviers en direction d'une petite chapelle toute proche. Sans réfléchir davantage, Clio se leva d'un bond pour le suivre.

— Pourquoi êtes-vous si dur envers moi ? lança-t-elle. Voudriez-vous que je vous réserve toute mon attention, et que je ne fréquente aucun autre homme que vous ? A quoi bon ? Et dans quel but ? Pour que nous fassions l'amour ensemble à la sauvette encore une ou deux fois avant que vous épousiez Yvonne ? Vous n'êtes pas libre, Paul ; mais moi je le suis, grâce à Dieu. J'avoue que vous m'attirez énormément, mais à qui la faute ? Vous n'avez pas le droit de me tourner le dos et de refuser de me parler sous prétexte que je vous ai pris pour ce garnement de Dennis. Comment pouvais-je deviner que c'était vous ?

Elle s'arrêta et repartit vers la salle des fêtes, craignant d'avoir déjà trop parlé. Elle était sur le point de lui dire combien elle l'aimait, de le supplier de l'aimer aussi et d'oublier Yvonne... Mais elle s'en retint de justesse, par fierté et aussi pour ne pas le confronter à un choix impossible.

Il la rattrapa pourtant au bout de quelques pas et l'attira dans l'ombre d'un bosquet. Avant qu'elle ait compris ce qui lui arrivait, elle était dans ses bras et il l'embrassait avec fougue. Elle n'essaya pas de résister, car elle aussi elle désirait plus que tout ce dernier baiser. Elle se serra de toutes ses forces contre lui et lui répondit avec la même passion.

Paul plongea la main dans la masse soyeuse de sa chevelure et pressa si fort sa bouche contre la sienne qu'elle en perdit le souffle. A cet instant, elle lui appartenait corps et âme. La caresse brûlante de ses doigts sur sa gorge et ses épaules nues éveilla en elle le besoin d'autres baisers, d'autres caresses. Cet homme la possédait davantage par une sorte de magnétisme que par sa puissance réelle. Elle était envoûtée, vouée à lui.

Il baissa doucement l'étoffe soyeuse de son bustier et dénuda sa poitrine. Un soupir rauque s'échappa de sa gorge quand il put enfin refermer ses paumes sur le galbe ferme de ses seins.

Elle se cambra et gémit à son tour, incapable de contrôler son émotion. Elle aurait aimé que ce moment dure toujours...

Soudain il s'agenouilla et elle se rendit compte qu'il s'allongeait par terre, l'entraînant avec lui. Il voulait lui faire l'amour sans délai, ici même, sur le sol !

Mais était-ce ce dont elle avait rêvé ? Une union si furtive, si inconfortable, à quelques dizaines de mètres des gens qui prenaient le frais dans les allées ? Non, c'était indigne de leur amour ! Paul était emporté par sa passion, il ne songeait qu'à assouvir son désir... Clio ressentait la même urgence mais quelque chose en elle lui disait qu'il ne fallait pas, pas ainsi.

— Non, je vous en prie, souffla-t-elle. Pas ici.

Sourd à sa demande, il resserra au contraire son étreinte autour d'elle. Elle entendait, sentait sa respiration impatiente dans le creux de son cou.

— S'il vous plaît, murmura-t-elle à nouveau. Arrêtez... Paul.

— Pourquoi? dit-il d'une voix rageuse tout à coup. Ne faites-vous pas la même chose dans les buissons près de la rivière? Où allez-vous vous cacher avec Dennis?

Elle s'arracha brusquement à ses bras et remonta le bustier sur ses seins nus.

— Je suis sûre qu'Yvonne doit vous chercher, jeta-t-elle avec mépris.

De retour dans la salle de bal, elle défia son regard furieux et le rencontra souvent tandis qu'elle dansait à nouveau. Elle ne refusa aucune invitation : puisqu'il la croyait volage, mieux valait lui donner raison.

Mais plus tard dans la nuit, dans le silence de sa tente, quand elle se retrouva seule avec sa peine, elle maudit Paul Nicolas en secret, la tête enfouie dans son oreiller. Elle l'aimait plus que jamais, malgré toutes ses insultes...

Chapitre 10

Clio était profondément endormie quand une énorme explosion la réveilla en sursaut. Une pluie de déchets sur la toile de sa tente et l'odeur acre et caractéristique de la poudre lui prouva qu'elle n'avait pas rêvé ; cela s'était passé tout près du camp.

Instantanément elle entendit des bruits de pas précipités et les voix familières de ses compagnons.

— Clio, tout va bien ? appela Dennis.

— Oui, mais que diable s'est-il passé ? répondit-elle en passant à la hâte son peignoir.

— J'ai bien peur que les monts aient été dynamités, fit-il sans plaisanter.

L'équipe au complet se rendit sur les lieux et constata que par chance, les dégâts n'étaient pas trop sérieux. Seule une tranchée récemment ouverte était partiellement effondrée. Les axes principaux n'avaient presque pas été endommagés. Mais cela ne changeait pas la gravité des faits, et tous en étaient conscients : la menace qui pesait à présent sur le camp et ses occupants était criminelle. Malheureuse-

ment, Clio savait déjà qui Paul allait encore soup-
çonner...

Cookie servit du café dans la tente principale où les
archéologues se réunirent. Chacun donna son avis à
propos de ce dernier acte de vandalisme. Yvonne
s'en indigna comme les autres et se montra extrêmement nerveuse. Comme les autres, aussi, elle sembla
accuser le personnel de l'autoroute.

— J'ignore comment cela se passe ici, déclara-
t-elle, mais dans mon pays, il est difficile de se
procurer des explosifs. Leur utilisation est règlemen-
tée, et réservée à certaines professions : les entrepreneurs ou les mineurs, par exemple.

Malgré l'heure tardive et le choc qu'elle venait de
subir, la Péruvienne était incroyablement belle et
séduisante. Elle s'était drapée dans une robe de
chambre aux motifs exotiques et très colorée qui
mettait en valeur son corps élancé de sportive. Ses
cheveux d'un noir de jais retombaient librement sur
ses épaules et encadraient ses grands yeux de braise
et son visage au teint éclatant.

A côté d'elle, Clio avait l'impression d'être pâle et
chétive. Elle regrettait de n'avoir pas pris le temps de
brosser ses cheveux blonds tout ébouriffés par le
sommeil et d'enfiler autre chose que son grand
peignoir bleu ciel sur le tee-shirt jaune qui lui servait
de chemise de nuit : elle avait l'air d'une petite fille
comparée à la fière Yvonne.

Paul garda le silence mais Clio sentit combien il
était furieux. A plusieurs reprises il posa sur elle son

regard accusateur qui semblait dire : tu vois, que penses-tu de ton cher Larry maintenant ?

Mais le dynamitage ne fit que la conforter dans son opinion. Larry Jarvis était trop respectueux et droit pour mettre en danger la vie d'autrui. Ecraser des tentes vides pour donner un avertissement et passer à l'acte en provoquant une explosion menaçant la vie d'une quinzaine de personnes endormies, étaient deux choses bien différentes.

Clio revoyait sans cesse l'image d'Yvonne pénétrant dans la cabine téléphonique de la salle des fêtes de Seneca. Qui avait-elle bien pu appeler si tard dans la soirée ?

Le lendemain matin, Clio offrit d'aller en ville porter plainte auprès du sheriff. Elle n'espérait pas que la police réussirait à convaincre Paul de l'innocence de Larry, mais elle tenait à vérifier une intuition qui l'obsédait : elle voulait parcourir les rues désertes et écrasées de soleil de Seneca à la recherche d'une certaine camionnette marron qu'elle commençait à bien connaître. Elle expédia rapidement les formalités de police en faisant sa déposition auprès d'une secrétaire qui lui promit que le sheriff reviendrait lui-même sur les lieux pour continuer l'enquête.

Seneca n'était pas une grande ville : elle eut tôt fait, en sortant du bureau, de repérer le véhicule usagé de Frank Nicolas, garé devant une taverne. Elle entra sans hésiter dans la salle sombre et mit quelques instants à accoutumer sa vision au contraste : dehors, le soleil était au zénith. Elle le vit alors, assis seul à une table, portant cette fois une chemise à carreaux largement ouverte. Un lacet de cuir tressé lui serrait le front et maintenait ses cheveux mi-longs. Il avait l'air perdu dans ses pensées et tenait une choppe encore pleine de bière.

— Bonjour, Frank, dit Clio en se glissant sur la banquette à côté de lui.

Ils sursauta et ses yeux noirs et taciturnes ne la reconnurent pas immédiatement.

— Je suis Clio, reprit-elle en tendant la main. Clio Marshall, je travaille avec Paul au chantier de fouilles.

— Je me souviens, fit-il, visiblement mécontent de la revoir. Vous êtes l'amie de Paul. Miss Marshall, je vous demanderais de ne pas lui parler de ma présence à Seneca. Je n'ai pas le temps de me rendre au site, et d'ailleurs vous n'ignorez pas que mon frère et moi connaissons certaines divergeances à propos de ce chantier de fouilles.

— Frank, je ne suis pas là par hasard, dit-elle. Je vous cherchais, car je me doutais que vous étiez encore en ville.

— Je... Je ne comprends pas, fit-il, soudain méfiant.

— Il se trouve que bien malgré moi, je vous ai entendu discuter dans votre camionnette avec le professeur De Silvestro, à Tahlequah, le soir du « powpow ». Malgré mon étonnement de constater qu'elle avait fait tout ce chemin sans venir saluer Paul ou sa mère, je ne m'en suis pas inquiétée jusqu'au moment où j'ai aperçu votre véhicule à Seneca, le

lendemain de l'affaire du bulldozer. Tout le monde
au site a accusé le personnel de l'autoroute d'être
responsable de ce premier sabotage, sauf moi. Je suis
persuadée qu'Yvonne et vous n'y êtes pas étrangers.
Ensuite, il y a eu l'explosion de la nuit dernière au
camp, et, à nouveau, vous êtes ici.

— Ecoutez, Miss Marshall, répliqua-t-il, furieux.
Vous faites entièrement fausse route. La dernière
fois, je ne faisais que passer avec des copains, et nous
nous sommes arrêtés pour manger. Aujourd'hui,
c'est la même chose. Je vais voir ma petite amie à
Pouteau. Et quand bien même vos soupçons auraient
la moindre chance d'être fondés, vous savez parfaitement qu'il vous est impossible de prouver quoi que
soit. Alors allez-vous-en et laissez-moi tranquille !

— C'est vrai, je n'ai pas de preuve, admit Clio.
D'ailleurs je n'en ai pas encore parlé à votre frère ni à
personne d'autre. Je ne voulais pas me mêler d'une
histoire de famille. Mais après ce qui s'est passé cette
nuit, j'ai le devoir d'agir. L'explosion aurait pu
blesser, peut-être même tuer quelqu'un. Et tous les
membres de l'équipe, y compris votre frère, accusent
l'ingénieur qui dirige les travaux de construction du
pont. Paul a même l'intention de lui faire un procès,
alors que le pauvre garçon n'a strictement rien à voir
dans tout cela, j'en suis persuadée !

— Si ce type est innocent, il n'a vraiment rien à
craindre, objecta Frank.

— Sans doute, mais une enquête va avoir lieu, et
si l'on m'interroge, je serai obligée de signaler que je
vous ai surpris avec Yvonne à Tahlequah la veille du

sabotage au bulldozer. Je dirai aussi à la police que j'ai vu le professeur De Silvestro téléphoner la nuit dernière. En apprenant cela, Paul risque fort d'ouvrir les yeux : vous vous êtes montré particulièrement agressif envers lui au sujet du projet de la Fourche Maline. Il sait combien vous y êtes opposé.

Frank repoussa sa bière et se prit la tête entre les mains d'un air las. Malgré lui, il s'avouait vaincu.

— Je voulais juste bousculer quelques tentes, rien de plus, dit-il, je vous assure. Ce sont mes amis qui se sont laissés emporter. Nous avions beaucoup bu ce soir-là. Et surtout, nous nous étions mutuellement monté la tête juste avant, en discutant du Sentier des Larmes et de toutes les persécutions qu'ont subies les Indiens par le passé. J'ai essayé de les empêcher d'en faire trop, et quand j'ai vu deux d'entre eux traverser la rivière au volant de l'engin, je n'en croyais pas mes yeux. Je n'ai pas réussi à les arrêter.

— Et la dynamite ?

— Je sais que vous n'allez pas me croire, reprit Frank, apparemment honnête cette fois, mais je n'étais pas au courant de cette explosion. Yvonne m'a effectivement appelé hier soir, et elle était très énervée. Elle m'a dit que Paul était sur le point d'obtenir la préservation du site, et que les fouilles risquaient de se poursuivre pendant des années. Elle voulait porter un coup décisif, pour empêcher cela. Elle m'a demandé de la rejoindre sur-le-champ mais j'ai refusé. Je lui ai donné rendez-vous ici même aujourd'hui pour voir avec elle ce que nous pouvions envisager.

— Insinuez-vous qu'Yvonne a pu procéder au dynamitage toute seule ? demanda Clio, incrédule. Où se serait-elle procuré les explosifs ?

— Tout ce que je sais, c'est que je n'y étais pas la nuit dernière, dit Frank d'un ton navré. C'est peut-être le tort que j'ai eu, Miss Marshall : j'aurais pu essayer d'empêcher cela. La plupart de mes amis n'étaient pas chez eux ce matin quand je les ai appelés pour leur demander de me rejoindre ici. On m'a répondu qu'ils n'étaient pas rentrés de la nuit. Franchement, je suis d'accord avec vous au sujet de la dynamite : c'est stupide et dangereux. C'est même impardonnable. Mais vous ne savez pas à quel point mon peuple a souffert pour en arriver à de telles extrémités. De nos jours encore, on respecte rarement les Indiens. Et quand l'un des nôtres bascule de l'autre bord...

— L'autre bord n'existe pas, coupa Clio. Paul est tout aussi fier de ses ancêtres que vous l'êtes vous-même. Mais il n'oublie pas non plus que la moitié de son sang est d'origine blanche. C'est sans doute une des raisons pour lesquelles il est devenu archéologue, bien que vous soyez trop têtu pour le reconnaître. Il désire plus que tout découvrir l'histoire des premiers habitants de ce pays : les Indiens. Vous devriez le voir travailler : il traite les ossements et les objets façonnés que nous déterrons avec une véritable vénération. Ils nous inspire à tous le plus grand respect pour le peuple qui habitaient jadis ces lieux. Et ce n'est pas une simple et froide curiosité scientifique, croyez-moi ! Paul n'est pas ainsi.

Frank secoua la tête, visiblement peu convaincu.

— Mais que fait-il de ces squelettes ? Il les enferme dans des boîtes et les envoie dans des musées ! Et vous appelez cela du respect ? Que diriez-vous si quelqu'un décidait dans cent ou deux cents ans de profaner votre tombe et celles de vos enfants, et emportait vos restes pour les faire analyser et en tirer des théories fumeuses ?

— La belle affaire, Frank ! Je ne « dirais » rien, précisément, puisque je serais morte depuis longtemps et avec moi tous mes proches qui auraient pu en être affligés. Après tout, ce ne serait pas si terrible qu'un archéologue, un scientifique, exhume les traces de ma vie terrestre, pour enseigner à ses contemporains la façon dont j'ai vécu parmi mes semblables. Il n'y a rien de triste à cela, au contraire : en étudiant l'art et la culture de civilisations disparues, on apprend à les apprécier et, qui sait ? à s'en inspirer. A mon avis, tout cela est beaucoup plus important que de laisser ces ossements à leur place et de rester ignorant.

Clio s'interrompit un instant pour chasser d'un geste impatient la serveuse qui s'approchait de leur table avec deux menus. Elle était emportée par le sujet de conversation qui lui tenait le plus à cœur : Paul — et le métier d'archéologue — et n'avait aucune envie de manger.

— En un sens, reprit-elle, nous permettons à ces gens disparus depuis des siècles de revivre à nouveau et de communiquer avec nous. Sans les archéologues, nous ignorerions tout des origines et de l'ère préhistorique de l'humanité. Vous rendez-vous compte que votre peuple, dont vous êtes à juste titre si fier, ne saurait rien de ses origines, déjà si confuses ? Prenez par exemple les centaines de générations qui se sont succédé sur le site de la Fourche Maline, au bord de cette merveilleuse cascade. N'aimeriez-vous pas savoir quels dieux ils vénéraient ? Comment ils construisaient leurs maisons ? De quoi ils vivaient ? Et pourquoi ils ont disparu, en fin de compte, en adoptant une autre culture, d'autres modes de subsistance ? N'êtes-vous pas curieux de tout cela ? Vous auriez tort. Et vous devriez être fier de ce qu'a entrepris votre frère, au lieu d'en avoir honte. Connaissez-vous Wolf Birdsong, l'un des étudiants de Paul qui contribue aux fouilles depuis le début de l'été ? Il est de pure race comanche, et pourtant il s'enorgueillit de travailler avec Paul. Et je crois savoir que dans l'Oklahoma, un bon nombre d'Indiens partagent cette admiration pour l'œuvre accomplie par votre frère.

Les yeux brillants de colère, Frank ne voulait rien entendre.

— Il agit davantage par ambition que par réelle vocation, dit-il. Si vous dites vrai, pourquoi envisagerait-il de partir pour le Pérou avec Yvonne et de tout laisser tomber ici ? Il a annoncé à notre mère qu'il avait l'intention d'épouser Yvonne et d'aller travailler sur les ruines incas.

L'air malheureux du jeune homme fit soudain comprendre à Clio qu'il aimait beaucoup son frère, et que toute sa révolte était surtout due aux projets de départ de son aîné. Pour Frank, il n'avait pas le droit de quitter la terre de sa tribu et de s'expatrier pour des raisons de gloire et de renommée. Elle se sentit alors solidaire du pauvre Frank, dont elle partageait l'amour et l'admiration pour Paul Nicolas — et aussi la peine de le voir s'en aller.

— Etes-vous sûr qu'il va vraiment quitter le pays ? demanda-t-elle. Yvonne changera peut-être d'avis...

— Il n'y a aucune chance, dit Frank avec amertume. Elle ferait n'importe quoi pour emmener Paul au Pérou. Sa famille est très riche et très influente, et elle s'en sert pour l'attirer là-bas. Elle lui fait miroiter un futur doré, sans problèmes d'argent et de financements, et la liberté de travailler à sa guise.

Clio s'apprêta à demander à Frank le rôle qu'Yvonne avait joué dans les incidents survenus sur le site, quand la Péruvienne apparut en personne dans la salle obscure de la taverne.

Le temps d'ajuster ses yeux à la pénombre, Yvonne les écarquilla de surprise quand elle aperçut Clio assise à côté de Frank. Elle hésita, puis rassembla ses esprits et se dirigea avec grâce vers leur table.

— Ma parole, Clio, lança-t-elle avec son léger accent espagnol, courez-vous ainsi après tous les hommes ? Votre palmarès de l'été est impressionnant !

— Vous devez avoir des « affaires » à régler tous les deux, se contenta de répondre Clio. Si vous permettez, je vais vous laisser.

Presque pâle malgré son bronzage éclatant, Yvonne s'assit en face de Frank et le prit par le bras.

— Que lui as-tu dit ? questionna-t-elle d'un ton où pointait l'inquiétude.

— Frank ne m'a rien appris à votre sujet, intervint Clio. Nous parlions seulement des sabotages qui ont eu lieu au camp. Je lui ai expliqué que je vous avais vus, ou plutôt entendus discuter ensemble à Tahlequah.

— Que diable faisiez-vous là-bas ?

— Paul n'a pas voulu me laisser seule au campement et m'y a emmenée pour le week-end, expliqua Clio.

Ainsi donc, Paul avait caché leur week-end à Yvonne… Clio avait toujours pensé qu'elle était au courant. Mais réflexion faite, étant donné la jalousie dont elle faisait preuve, ce n'était pas étonnant.

Yvonne tendit la main sur la table et saisit méchamment le poignet de la jeune femme.

— Ne t'approche plus de Paul, petite garce, fit-elle entre ses dents. Il m'appartient !

Clio retira vivement son bras et frotta les marques rouges laissées sur sa peau par les ongles d'Yvonne.

— Ne vous inquiétez pas, répliqua-t-elle. Il m'a forcée à venir avec lui parce qu'il se sentait responsable de moi. Il ne voulait pas qu'une étudiante reste seule au campement pendant deux jours.

Tout en minimisant les faits pour apaiser l'agressivité de sa rivale, Clio ne put s'empêcher d'évoquer dans son esprit ce qui s'était passé entre Paul et elle dans la grande chambre de la maison d'Hannah Nicolas…

Yvonne la dévisagea, comme si elle déchiffrait les

pensées de ses yeux bleu turquoise. Clio détourna le regard. La Péruvienne avait-elle compris ? Savait-elle qu'elle aussi était éperdument amoureuse de Paul ?

— Je suppose que vous allez vous dépêcher de raconter à Paul que j'ai comploté avec son frère pour faire échouer le projet ? dit Yvonne dont la panique était visible. Il ne vous croira jamais.

— Pourquoi avoir agi ainsi ? demanda Clio. Paul tient tant à la Fourche Maline... Pourquoi essayez-vous de la détruire ?

— Je ne voulais pas toucher aux tranchées, affirma Yvonne. J'avais seulement l'intention d'effrayer les étudiants, pour les dissuader de poursuivre les fouilles. L'idée du dynamitage n'est certes pas venue de moi ! Frank est complètement inconscient, il aurait pu blesser quelqu'un... Du coup, une enquête criminelle va sûrement être ouverte, et la vérité risque d'être découverte...

— J'ai cru comprendre que Frank n'y était pour rien non plus, coupa Clio avant que le jeune frère de Paul ait eu le temps de se défendre lui-même. Apparemment, ses amis en ont pris seuls l'initiative. Mais il n'en demeure pas moins que c'est vous qui avez encouragé ces actes de vandalisme. Je n'imagine pas comment quelqu'un de votre niveau professionnel ait pu tremper dans des manœuvres aussi puériles.

— Etes-vous aveugle ? Paul parlait sans cesse de poursuivre les fouilles l'année prochaine, et peut-être les années suivantes. Je n'ai pas de temps à perdre, moi. Nous devons accomplir notre destinée tant que nous sommes encore jeunes !

— Votre destinée ? répéta Frank en la toisant d'un air las.

— Oui, notre destinée. Paul et moi sommes nés pour réaliser de grandes choses. Nous allons devenir des célébrités internationales, donner des conférences dans le monde entier... Déjà, les chaînes de télévision m'invitent à parler. Quand j'aurai épousé Paul, nous formerons le couple le plus riche et le plus envié de toute la communauté scientifique américaine... Et mondiale !

Tout en écoutant le professeur De Silvestro, Clio se rendit compte à quel point elle misait sur son avenir avec Paul. Son orgueil était sans limites, tout comme son ambition. Le jeune Frank, de son côté, observait la future épouse de son frère avec une expression délibérément dure et cynique. Sentant son regard sur elle, Yvonne mit fin à sa tirade.

— De qui est venue l'idée de saboter le camp ? demanda Clio. Est-ce vous qui avez persuadé Frank et ses amis de faire ce sale travail à votre place ?

— Même si je l'ai fait, vous ne pouvez rien prouver, rétorqua Yvonne, à nouveau prise de panique. Je dirai à Paul que vous mentez. Alors je vous conseille de tenir votre langue, sinon il vous en cuira, je vous le promets.

Le visage de la Péruvienne était décomposé par la peur et la méchanceté. Elle semblait prête à tout pour parvenir à ses fins. En même temps que Paul, c'était la célébrité et la fortune qu'elle désirait. Et rien ne pourrait l'arrêter. Soudain, Clio eut envie de fuir le plus loin possible de cet endroit et de ne plus rien avoir à faire avec cette femme avide.

— Vous seriez capable de mettre en péril tout le projet et la somme de travail qu'il représente, uniquement pour pousser Paul à vous suivre ? questionna-t-elle comme pour mieux s'en persuader.

— Je ferai tout ce qui est en mon pouvoir pour l'empêcher de rester dans ce trou infâme, répliqua Yvonne en englobant d'un geste explicite le bar poussiéreux et la ville au-dehors. Il est impensable que les talents d'un homme comme Paul Nicolas continuent de se gaspiller pour des choses qui en valent si peu la peine.

Frank contenait mal sa fureur en entendant les propos insultants de celle dont il regrettait amèrement à présent d'avoir suivi les idées insensées.

— Pourquoi l'avez-vous aidée ? demanda Clio en se tournant vers lui.

— Nous voulions donner un avertissement à Paul, avoua-t-il sans oser la regarder dans les yeux. Et puis, nous n'avions plus rien à perdre, nous étions furieux contre lui : savez-vous que le lieu sacré de la Falaise Magique va être incessamment détruit, pour la construction du pont ? Paul n'a même pas essayé d'intervenir auprès des autorités pour empêcher ce massacre.

— Vous vous trompez, il est justement en train d'obtenir que le site dans son ensemble soit préservé. Si sa demande est acceptée, on ne touchera plus à la falaise ni à la Fouche Maline. Le tracé de l'autoroute devra être modifié et le pont construit ailleurs.

— Je n'en savais rien, balbutia Frank en hochant la tête d'un air désolé. Vraiment, je... Pourquoi Paul ne m'a-t-il rien dit ?

— Il n'en a peut-être pas eu l'occasion, suggéra Clio. Il l'aurait sans doute bientôt fait.

Avec une moue de dédain, Yvonne les considéra comme deux ignorants.

— Vous perdez votre temps, dit-elle, à croire que Paul Nicolas restera un chercheur anonyme dans l'Oklahoma. Il choisira la renommée et viendra avec moi, je vous le jure !

Chapitre 11

Quand Clio revint au camp, l'heure du déjeuner était déjà passée, mais Cookie lui avait gardé un gros sandwich au thon et aux crudités. Yvonne arriva au volant de la voiture de Paul pendant qu'elle le mangeait. Pour ne pas risquer une nouvelle confrontation avec le professeur De Silvestro, elle partit en courant vers les remblais en emportant ce qui lui restait.

Durant tout l'après-midi, elle fut consciente qu'Yvonne ne la quittait pas des yeux, surtout lorsque Paul était à proximité. Elle redoutait sans doute que Clio révèle ce qu'elle savait, malgré ses menaces. Pourtant, la jeune femme avait résolu de ne pas parler. En défendant ouvertement Larry, elle avait déjà perdu toute crédibilité aux yeux de Paul, et elle n'ignorait pas la peine qu'elle aurait à essayer de le convaincre de la culpabilité de Frank et d'Yvonne. De plus, elle ne voulait pas monter Paul contre sa fiancée, encore moins contre son jeune frère, car elle le respectait trop pour désirer lui apporter des ennuis. Dans une semaine, elle quitterait la région et ne reverrait plus jamais Paul Nicolas. Mieux valait partir sans fracas.

Peu de temps avant le dîner, de gros nuages s'amoncelèrent dans le ciel et un vent violent se leva. Paul avait à peine donné l'ordre de couvrir les tranchées que Cookie arriva au pas de course pour les avertir que des orages étaient annoncés à la radio.

— Celui qui se prépare va être très méchant, dit le vieil homme. Nous ferions mieux de tout ranger et d'aller nous réfugier en ville pour ce soir.

Clio avait travaillé sur le petit mont le plus proche de la rivière. Paul vint l'aider à porter les lourdes planches tandis que la pluie se mettait à tomber à verses. Yvonne vint à la rescousse.

— Débrouillez-vous toutes les deux, cria Paul dans le vacarme du vent et de la pluie. Je dois aller m'occuper du mont numéro trois, où il n'y a personne.

Le visage battu par les rafales de plus en plus fortes, Clio tira les planches sur les tranchées et aida Yvonne à fixer les grandes bâches de plastique. Les deux femmes étaient isolées de leurs compagnons par un tourbillon d'eau qui rendait la visibilité presque nulle. La rivière imitait déjà le ciel tumultueux. En quelques instants, le paisible cours d'eau était devenu un torrent impressionnant. Cette fois, la Fourche Maline méritait pleinement son nom. Elle se jetait avec fureur contre ses berges, trouvant son lit trop étroit. Clio sentait le sol trembler sous elle tandis qu'elle essayait vainement, à genoux au bord de la tranchée, de se battre contre le vent qui s'engouffrait comme un fou sous la feuille de plastique rebelle.

— Nous n'y arriverons pas ! cria-t-elle à Yvonne. Il y a trop de vent !

Elle n'entendit pas la réponse de la Péruvienne, mais tenta une dernière fois de glisser la bâche sous la planche. C'était impossible, surtout sans l'aide d'Yvonne qui n'avait apparemment pas compris la manœuvre. Comme elle allait l'appeler encore, Clio se rendit compte que la terre tremblait de plus en plus sous ses pieds. Soudain, elle fut prise de panique : le sol bougeait ! Elle tomba à plat ventre dans la boue. La partie du monticule où elle se trouvait était en train de se détacher de la terre ferme ! Elle s'effondrait dans le torrent furieux de la rivière !

Emportée à son tour, Clio s'accrocha à une racine qui céda bientôt sous son poids. Elle glissait inexorablement, sans rien pour se rattraper : chaque caillou, chaque pierre, chaque ronce, tout basculait dans l'abîme effrayant.

— Au secours ! cria-t-elle à Yvonne qui la regardait sombrer dans la crevasse sans réagir.

— Les planches ! hurla Clio. Tendez-moi une planche !

La Péruvienne sembla mettre une éternité à comprendre ce qu'elle attendait d'elle, et finit par soulever la planche la plus proche pour la placer en travers de la fissure de plus en plus large. Mais Clio ne parvint pas à l'atteindre. Déjà, elle était trop loin.

— Plus bas ! cria-t-elle. Mettez-la plus bas !

Dans un suprême effort, elle parvint à hisser son corps quelques centimètres plus haut et ses doigts touchèrent la planche. Elle s'y agrippa avec l'énergie du désespoir, tandis que la berge s'écroulait sous elle.

Soudain il n'y eut plus de planche, mais seulement la boue et les pierres. Son corps rejoignit la langue de terre qui s'effondrait et fut happé par les eaux sauvages de la rivière métamorphosée. Elle se débattit contre le courant pour remonter à la surface et respirer. Elle y parvint pour une fraction de seconde mais fut à nouveau engloutie par les flots. Elle n'avait plus de forces mais tentait encore désespérément de survivre. Elle réussit une seconde fois, par miracle, à reprendre son souffle, mais un violent tourbillon la précipita à nouveau au fond de l'eau avec une violence inouïe. Elle était vaincue, à demi morte, mais se battait encore. La rivière s'acharnait sur elle dans un combat trop inégal...

Au dernier moment, elle ne discerna pas la nature différente de ce qui l'entraînait vers la surface, et non vers les profondeurs. Puis elle comprit que c'était un homme, non pas un nouvel élément déchaîné. Deux bras musclés qui lui venaient en aide, la soulevaient vers la terre ferme. Paul ! Il avait bravé la colère de la Fourche Maline pour la secourir !

Il la porta sur la rive, loin du torrent dangereux. C'était fini, il la serrait dans ses bras pour la réchauffer et lui murmurait des paroles réconfortantes car elle commençait à pleurer. Assis avec elle au milieu du déluge, il se mit à la bercer doucement comme une mère avec son enfant.

— Là, là, Clio chérie, dit-il en pressant ses lèvres sur sa tempe. C'est terminé, vous n'avez plus rien à craindre. Tout va bien.

Elle se cramponna à lui, éperdue d'amour et de reconnaissance. Ils étaient sur la rive opposée par rapport au camp, et la rivière les avait charriés à une distance considérable. Il n'y avait pas d'abri, personne. Et bien que l'intensité de l'orage ait diminué, la pluie ne donnait aucun signe de faiblesse.

Il la porta en escaladant la berge jusqu'à une prairie inondée, et marcha jusqu'aux fondations du pont. En approchant du chantier de construction ils aperçurent le feu orange clignotant d'un véhicule de service de l'autoroute. L'employé venu constater les dégâts les invita aussitôt à s'abriter à l'arrière du fourgon et sortit une couverture dans laquelle Paul enveloppa Clio. La jeune femme, épuisée, entendit l'homme au ciré jaune dégoulinant de pluie demander du secours par radio.

Peu de temps après, une seconde voiture arriva et emmena les deux rescapés vers la ville voisine, Harperston. Le reste de l'équipe archéologique s'était sans doute réfugié à Seneca, comme prévu, mais Paul ne voulait pas perdre un temps précieux à rejoindre le pont suivant, sans doute endommagé, pour s'y rendre.

— Il y a un médecin à Harperston, si votre amie en a besoin, expliqua le conducteur tandis qu'ils faisaient route vers la ville. Vous pourrez aussi passer la nuit à l'auberge, s'il le faut. Si les lignes ne sont pas coupées, nous essaierons de joindre votre groupe à Seneca, mais à mon avis vous feriez mieux de procurer des vêtements secs à la petite et de la mettre au lit dès notre arrivée. Elle semble très ébranlée.

La propriétaire de l'auberge regarda Clio et se hâta de l'accompagner à l'étage.

— Vous avez de la chance, jeune fille, lui dit-elle en faisant couler un bain chaud. Beaucoup de gens ont été emportés par la rivière, mais peu ont survécu pour en parler.

Après s'être réchauffée dans le bain, Clio enfila la chemise de nuit et le peignoir que lui avait prêtés la vieille dame et s'assit devant la fenêtre de sa petite chambre. Il faisait nuit, mais après ce qui venait de lui arriver, elle était incapable de trouver le sommeil. On lui avait apporté un verre de vin chaud, et elle le but lentement en écoutant le grondement de l'orage qui s'éloignait.

Elle revoyait avec effroi les instants où elle avait cru mourir. Elle avait failli se noyer, et pourtant elle était là, bien vivante, appréciant l'importance démesurée de chaque bouffée d'air qu'elle respirait. C'était une leçon, une dure leçon de vie. A partir de maintenant, elle ne négligerait plus jamais toutes les occasions qui s'offriraient à elle de profiter de l'existence.

Elle soupira. L'été touchait à sa fin, et dans quelques jours elle partirait, quittant Paul Nicolas pour toujours. Une grande tristesse l'envahit malgré elle à cette pensée. Elle voulait se souvenir de lui, des instants de bonheur qu'ils avaient partagés, instants si furtifs qu'elle avait peine à croire qu'ils n'étaient pas un rêve.

Cette nuit, elle voulait la passer auprès de l'homme qu'elle aimait avant de ne plus jamais le revoir. Pour lui, ce ne serait sans doute qu'une expérience purement physique, sans amour véritable, mais elle préférait cela à l'oubli. Après avoir frôlé la mort, elle avait compris l'importance de Paul dans sa vie.

Elle sortit dans le couloir et se dirigea sans bruit vers sa chambre. La porte n'était pas fermée à clé. A la lueur de la petite lampe de chevet, elle vit son beau visage sombre et ses épaules nues se dresser sur l'oreiller. Lui non plus ne dormait pas, il tenait un livre dans ses mains mais semblait attendre quelque chose, ou quelqu'un — elle, peut-être ?

Sans hésiter, elle marcha vers le lit et se déshabilla entièrement devant lui, fière de lui montrer son corps, fière de venir le lui offrir pour la dernière fois. Un son de surprise et de bonheur s'échappa de la gorge de Paul. Son regard noir et envoûtant l'enveloppa, et elle frissonna de plaisir anticipé.

— Je vous aime, dit-elle sans trembler. Je veux me souvenir de vous à jamais.

Lentement, elle se pencha vers lui et laissa la masse blonde de ses cheveux lui recouvrir le front, comme une caresse. Elle embrassa ses lèvres, longuement, sensuellement, décidée à prolonger cet instant jusqu'aux confins de la nuit. Avec adoration, elle porta ensuite sa bouche sur sa large poitrine lisse et cuivrée, sans l'ombre d'un duvet, signe indubitable des origines indiennes de Paul. En même temps, elle éprouva du bout des doigts le galbe massif de ses épaules, de ses bras, consciente que d'un geste ces bras-là auraient pu l'écraser.

Sous ses caresses, il se mit à respirer plus vite, plus bruyamment, soupirant d'impatience tandis qu'elle explorait sans hâte chaque parcelle de son corps tendu par le désir. En le voyant ainsi, possédé par son charme, Clio ferma les yeux, pour mieux graver dans sa mémoire l'image virile de celui qu'elle aimait. Elle voulait aller au bout de sa passion, de leur passion mutuelle dont elle reculait volontairement l'explosion finale.

Soudain, pourtant, Paul n'admit plus d'attendre. Après avoir savouré ses caresses, sa tendresse et sa féminité, il prit à son tour possession de son corps. D'un geste, il roula sur elle et posa ses mains sur ses épaules. Ses baisers à lui furent plus brûlants, plus pressants que jamais. Il réclamait la satisfaction du désir qu'elle s'était appliquée à éveiller en lui. Consentente, Clio s'offrit à lui, les bras étendus de part et d'autre de l'oreiller. Il admira l'éventail doré de ses cheveux étalés au-dessus de sa tête, comme une couronne, et lui baisa le front, avec une infinie douceur cette fois.

Puis l'univers entier bascula, la chambre, la lumière tamisée de la lampe, le grand lit en désordre... Elle eut l'impression de se noyer une seconde fois, mais non plus dans un torrent de larmes et de terreur : unie à Paul, corps et âme, elle nagea dans un océan d'extase où le temps n'existait plus, ni l'espace, comme dans un rêve.

Etait-ce un miracle ? Etaient-ils encore vivants ou au-delà des limites du bonheur humain ? Oui, un miracle. C'était sans doute un miracle...

Quand, longtemps après, ils eurent retrouvé leurs esprits, et que Clio eut regagné sa chambre à pas de loup, elle fondit en larmes, blottie entre ses draps et assaillie par la certitude cruelle que cela ne se reproduirait plus jamais, car aucun homme ne remplacerait jamais Paul. A présent seulement elle mesurait la grandeur de l'amour qu'elle lui portait, et c'était d'autant plus triste que cet amour était sans espoir.

Le lendemain matin, quand ils retournèrent au camp, ils constatèrent que la tempête avait achevé l'œuvre destructrice que les jeunes Indiens militants avaient amorcée. La rivière en crue avait presque tout emporté, bien qu'elle ait déjà baissé, et repris son cours habituel. Certaines tranchées étaient inondées, les autres remplies de limon. Il ne restait guère de traces du site archéologique. Seule la plus grande des tentes demeurait debout, les petites tentes individuelles ayant soit été couchées par le vent, soit disparu tout simplement dans le déluge : c'était le cas de celle de Clio.

Larry Jarvis était là avec le sheriff et une poignée d'hommes du voisinage, tentant d'aider l'équipe archéologique désormais sans abri. Mais il n'y avait plus grand-chose à sauver, à part un peu de matériel et quelques affaires personnelles épargnées.

Tout le monde entoura Clio pour l'embrasser et lui poser des questions.

— Vous ne pouvez pas savoir combien nous avons été soulagés d'apprendre que vous et notre héroïque professeur étiez indemnes, dit Cookie en déposant un baiser sonore sur sa joue. Au fait quelqu'un vous attend, Clio. Il paraît que c'est votre mari. Il est venu ce matin avec le sheriff en disant qu'il vous cherchait.

— Clayton ? Ici ? demanda Clio, incrédule.

— Oui, fit Cookie, l'air embarrassé. Il est en train de prendre un café dans la grande tente. Il doit vous ramener chez vous.

Clayton apprit en effet à la jeune femme que sa tante Sarah était à l'hôpital, et que son oncle, qui redoutait le pire, lui avait demandé d'aller la chercher.

Elle n'eut pas besoin de faire ses bagages : toutes ses affaires avaient été englouties dans l'inondation. Elle fit rapidement ses adieux, et d'abord à Larry. Celui-ci fut heureux de lui apprendre que sa femme avait finalement accepté de se réconcilier avec lui.

— Je savais que vous l'aimiez encore, dit Clio en lui serrant affectueusement la main. Je vous souhaite tout le bonheur du monde, et de nombreux enfants.

— Je ne vous oublierai jamais, Clio. C'est vous qui m'avez donné la force d'essayer de revivre avec elle. A présent, promettez-moi de trouver vous aussi celui que vous cherchez.

— Ne vous inquiétez pas pour moi, dit-elle en se forçant à sourire.

Ce fut ensuite le tour de Dennis et d'Edgar. On promit de s'écrire, il y eut des embrassades, et après avoir serré la main à tous ses compagnons d'un été, y compris à Yvonne qui lui avait tendu la sienne, Clio chercha Paul des yeux. Celui-ci se tenait à l'écart et contemplait le spectacle affligeant du site détruit de la Fourche Maline. Sans oser aller le déranger, la jeune femme se contenta de le regarder un long moment, pour garder dans son cœur présente à tout jamais l'image de la fière silhouette du professeur, tel qu'il lui apparaissait à cet instant : lointain et inaccessible, mais terriblement beau et séduisant.

Sa tante Sarah finit par lentement se rétablir. Une quinzaine de jours après son attaque cardiaque, elle fut autorisée à rentrer chez elle. Pourtant, l'oncle Joe comprit rapidement que la grande maison à deux étages de Maple Street était devenue trop difficile à entretenir pour deux personnes âgées. Avec douceur, il réussit à convaincre sa femme qu'il était temps pour eux de se retirer dans une maison de retraite confortable.

A regret, Clio aida son oncle à conclure la vente de la vieille maison de son enfance et à organiser le déménagement. Elle obtint in extrémis une bourse d'étude et s'inscrivit à l'université, où elle loua une chambre sur le campus. Elle s'était suffisamment avancée durant l'été en participant aux fouilles de la Fourche Maline pour espérer son diplôme à la fin de l'année scolaire. Elle tâcherait ensuite d'obtenir un poste de professeur dans le secondaire l'année suivante.

Le programme du premier semestre ne comportait que des cours de pédagogie : elle était bien loin de l'archéologie et de l'anthropologie qui la passionnait tant. Toutefois, elle s'était inscrite, par plaisir, à un seul cours d'histoire : « Les origines du peuplement des Grandes Plaines. »

Ce jour-là, lors de la première classe après l'examen de milieu de semestre, elle entra dans l'amphithéâtre et découvrit Paul debout sur l'estrade. L'espace d'une seconde, elle se demanda sérieusement si elle perdait la tête. C'était à coup sûr une illusion, puisqu'elle était persuadée de ne plus jamais croiser son chemin.

Depuis qu'elle avait quitté la Fourche Maline, même si elle ne pensait pas consciemment à Paul à longueur de temps — elle se l'interdisait — il continuait à hanter son esprit et ses rêves. Chaque soir, avant de s'endormir, elle se revoyait dans ses bras. Mais elle avait appris à vivre ainsi en sa compagnie, à se résigner.

A présent, elle avait accepté l'idée de l'aimer à tout jamais. Et même si un jour elle parvenait à s'attacher à quelqu'un d'autre, cela ne diminuerait en rien ses sentiments pour son cher professeur. D'ailleurs, elle doutait qu'un autre homme entre dans sa vie : sans doute était-elle condamnée à poursuivre seule sa route, avec pour unique compagne la mémoire d'un amour interdit. Après tout, c'était peut-être sa destinée : mener une existence laborieuse, parmi les livres, et profiter des joies simples d'enseigner et de voyager.

Du fond de l'amphithéâtre, elle finit pourtant par comprendre qu'elle n'avait pas une hallucination : il s'agissait bien de Paul Nicolas, en chair et en os, et pas de son fantôme. Elle maudit le sort cruel qui lui jouait ce tour : la présence de Paul ne pouvait rien changer, si ce n'est effacer les mois d'efforts qu'elle avait faits pour s'habituer à ne plus le voir.

Elle eut pour premier réflexe de fuir, mais en fut incapable, malgré la souffrance qu'elle risquait en restant davantage. La salle était immense. Il n'y avait aucune chance pour qu'il l'aperçoive parmi tous ces étudiants. Elle se glissa au dernier rang et s'effondra sur son siège. La tête entre les mains, elle s'efforça de se calmer et de se concentrer.

— Quelque chose ne va pas ? demanda un garçon à côté d'elle.

— Non, tout va bien, merci, répondit-elle en se redressant. Juste un peu de fatigue.

Le docteur Paul Nicolas, archéologue distingué, était de passage dans le Nebraska pour une série de conférences, comme Clio l'entendit annoncer par son habituel professeur. Le docteur Nicolas avait accepté d'entretenir la classe de la préhistoire des Grandes Plaines et de l'installation des premiers colons de race blanche sur les territoires indiens.

L'exposé de Paul dut être brillant, à en juger par les applaudissements chaleureux qui le suivirent. Clio, quant à elle, n'était pas parvenue à suivre le sens de ses paroles. Elle avait été pénétrée par sa voix au timbre grave et vibrant, mais les mots qu'il avait prononcés lui avaient complétement échappé. A lui seul il remplissait toute la pièce et chacun de ses gestes prenait une importance démesurée. Clio se souvint avec émotion de ce que ces deux mains avaient fait naître en elle.

Pour commencer, elle avait oublié combien il était beau, et imposant. Il avait les cheveux plus courts et ne portait pas de bandeau autour du front. Il était habillé d'une veste de tweed et d'un pull à col roulé blanc, avec toujours la pépite de turquoise sur sa poitrine, pendue à une chaîne en argent. L'auditoire était sous son charme. Pendant cette heure, il les avait captivés.

Paul accueillit les applaudissements avec un sourire éclatant qui éclaira un instant la beauté ténébreuse de son visage. Quand il quitta la salle, tout le monde sembla se détendre brusquement et les conversations reprirent. C'était comme si Paul avait monopolisé toute l'attention dont les étudiants étaient capables ce jour-là.

Le professeur d'histoire reprit la parole, et dans un silence relatif il rendit des devoirs, donna un travail pour la fois suivante et rappela la projection d'un documentaire à laquelle il était fortement conseillé d'assister. Il termina en demandant à Clio Marshall de bien vouloir passer à son bureau.

En entendant son nom, Clio essaya de se répéter les dernières paroles du professeur. Qu'avait-il dit ? Passer dans son bureau à la fin du cours ?

Elle obéit, mais ce fut Paul qui l'attendit dans la

petite pièce aux murs jaunis. Elle resta interdite, le dos contre la porte, sans comprendre ce qu'elle faisait là.

— Pourquoi ne m'avez-vous pas dit qu'il n'y avait rien de sérieux entre vous et Dennis ? demanda-t-il. Faisiez-vous exprès de me faire croire qu'il ne s'agissait pas d'un jeu ?

Prise au dépourvu, elle ne répondit rien. De quel droit venait-il la torturer ainsi ? Ignorait-il donc que le seul fait de le revoir était pour elle la pire des tortures ?

— Et Larry Jarvis ? reprit Paul, les mains croisées sur le bureau. Il m'a dit que vous l'aviez poussé à se réconcilier avec sa femme... Ils se sont remariés. Pourquoi m'avez-vous laissé penser que vous étiez peut-être amoureuse de lui ?

— Vous sembliez avoir une piètre opinion de moi, dit-elle d'une voix faussement calme. Je ne voyais pas l'utilité — pas plus que maintenant, d'ailleurs — de me justifier auprès de vous. Du reste, vous ne m'auriez pas crue.

Un profond soupir s'échappa des lèvres de Paul. Il se leva et resta debout devant la fenêtre, le regard perdu dans le parc aux arbres dénudés où allaient et venaient des groupes d'étudiants pressés.

Sans tourner son visage, qu'elle voyait de profil, il parla enfin :

— Vous avez raison. Je vous ai mal jugée. Il m'était plus facile de me persuader que ce que j'éprouvais n'était qu'un désir charnel pour une femme belle et immorale, qui ressemblait à quelqu'un que j'avais aimé jadis. Ainsi, ma vie n'était pas bouleversée.

De face à présent, il la fixa étrangement.

— Vos yeux, dit-il. Jamais je n'en ai vu de semblables. C'était comme un présage, la couleur de la turquoise, mais je n'ai pas voulu l'admettre...

Tout en parlant, il porta machinalement les doigts sur la pierre bleue qui reposait sur son chandail.

— Edgar et moi avons eu une discussion avant son départ pour le Pérou, continua-t-il comme pour lui-même. Ou plutôt devrais-je dire qu'il m'a forcé à l'écouter. Il m'a appris la vérité sur vous, sur vos relations avec Dennis, avec Larry, et même avec votre ex-mari dont j'ignorais l'existence. J'ai découvert que vous étiez divorcée depuis deux ans et que vous n'aviez pas eu d'amant au camp, à part moi. J'ai découvert, surtout, que je ne puis vivre sans vous.

Clio n'en croyait pas ses oreilles. Elle avait sûrement mal compris...

— Mais, et Yvonne ? balbutia-t-elle. Je... je pensais que vous alliez partir avec elle au Pérou...

— Elle m'a dupé, depuis le début. Avant même que Frank ne m'avoue les méfaits dont il était responsable avec elle, je m'étais rendu compte que je ne voulais pas me marier avec cette femme. Car voyez-vous, une jeune femme merveilleusement intelligente et désirable s'était glissée dans ma vie, et m'a aidé à comprendre où était ma destinée. Je sais à présent que je veux poursuivre cette destinée avec elle à mes côtés. Je désire voyager dans le temps avec elle... que nous fouillions ensemble le passé, parta-

geant notre travail, nos passions, notre présent et
notre avenir. Je veux contempler ces incroyables
yeux turquoise pour le restant de mes jours.

N'était-ce qu'un rêve, ou un rêve devenant réalité ? Quoi qu'il en soit, Clio ne voulait pas qu'il
prenne fin : elle se jeta dans les bras puissants de
Paul et posa la joue contre sa poitrine, pour prolonger le songe d'un été indien.

Laissez-vous emporter dans le monde sensuel, passionné, excitant et exotique de

2 romans par mois aux intrigues plus développées.

Laissez-vous séduire... faites-en collection!

Achevé d'imprimer en juin 1985
sur les presses de l'imprimerie Bussière
à Saint-Amand (Cher)

— N° d'imprimeur : 1060. —
— N° d'éditeur : 681. —
Dépôt légal : juillet 85.

Imprimé en France